# JOURNÉE DE COURRIER

ALAIN HUOT

# Journée de courrier

récit

•

Les Éditions Varia
C. P. 35040, CSP Fleury
Montréal (Québec)
Canada H2C 3K4

Téléphone : (514) 389-8448
Télécopieur : (514) 389-0128
Courriel : info@varia.com
Site web des Éditions Varia : www.varia.com

Données de catalogage avant publication (Canada) :

Huot, Alain, 1969-

Journée de courrier

ISBN 2-922245-86-1

1. Huot, Alain, 1969- . 2. Messageries - Québec (Province).
3. Messagers à bicyclette - Québec (Province) - Anecdotes.
I. Titre.

HE9756.C3H86 2003 388.3'2 C2003-940338-6

Nous remercions le Conseil des Arts du Canada et la Société de développement des entreprises culturelles (SODEC) de l'aide accordée à notre programme de publication.

SODEC
SOCIÉTÉ DE DÉVELOPPEMENT DES ENTREPRISES CULTURELLES
Québec

Gouvernement du Québec • Programme de crédit d'impôt pour l'édition de livres • Gestion SODEC

*Couverture, maquette et mise en pages :* Guy Verville
*Photo de l'auteur :* Sébastien Huot

*Distributeur :* Diffusion Prologue inc.
Téléphone : (450) 434-0306 / 1-800-363-2864
Télécopieur : (450) 434-2627 / 1-800-361-8088



ISBN 2-922245-86-1

Dépôt légal : 2e trimestre 2003
Bibliothèque nationale du Québec
Bibliothèque nationale du Canada

*Imprimé au Canada*

Je dédie ce livre à mes dispatchs. À René, qui m'a fait confiance et m'a montré le métier, à Batman ainsi qu'à Jean-Séb. et à Dom.

•

Je remercie tous ceux qui m'ont fourni des histoires.

•

Je remercie également madame L., au 11ᵉ étage du 1155, René-Lévesque Ouest, qui m'a donné une carambole à la fin d'une journée où j'avais faim.

# Liste des livraisons

*Client* ... *Adresse*

**Dans le 450**



**Sur la Main**



**Sur la rue Notre-Dame**



**À Québec**

# Arriver en ville

## Maudit chômage

Maudit chômage qui fait qu'on est obligé d'accepter n'importe quelle job. C'est comme ça que je me suis retrouvé pris à faire du reboisement. Après trois mois, j'en avais plein mon casque des épinettes et des maringouins.

Une fois, avec Gros Bill, on a voulu aller faire une virée à La Tuque. On a pris la chaloupe puis on a marché jusqu'au chemin. Rendus là on pensait faire du pouce, mais il y a jamais un chat qui prend cette route-là, fait qu'on n'est pas allés bien loin.

On s'est résignés après ça à passer nos congés au camp.

Un samedi soir, je me demandais si j'allais être capable de toffer jusqu'à la fin de mon contrat. Je pensais aux anges. S'ils existent, ça sert à rien de les prier dans le bois parce que, quand on est perdus nulle part, ils nous perdent certain eux aussi.

J'en étais là dans mes pensées quand le Gros Bill a rappliqué. Il était temps. « Eille viens-t-en, on va faire un trip de mushs. » J'ai rejoint les autres gars qui étaient déjà assis en train de boire de la bière. Le Gros Bill a sorti ses champignons magiques. On les a mangés.

Aurore est apparue. Elle avait des cheveux mauves et des anneaux dans le nez. Elle, c'était clair que dans la vie elle perd pas son temps à planter des arbres. Elle a dit : « C'est vos blondes qui m'envoient pour vous sauver. Je travaille pour citytours.com. Vous avez juste à signer ici. »

On a signé.

Aurore nous a fait nous corder dans la chaloupe. Le moteur est parti. Il s'est mis à faire un beau bruit sourd. Aurore a dit en deux trois langues qu'on serait bientôt à 35 000 pieds. Elle nous a fait passer un film plate. On a chanté : « C'est l'avion qui nous mène, mène, mène, c'est l'avion qui nous mène en haut. » L'agent de bord nous a demandé de nous calmer parce qu'on dérangeait les autres passagers. Les mushs ont commencé à moins faire effet. Aurore a dit : « On arrive. »

Là où on a atterri, il y a des tours partout. Je le sais pas où c'est qu'on est. Peut-être à Antioche, peut-être à Carthage. Peut-être aussi à Montréal.

## Tour de Babel

Je suis la réincarnation de Mozorgon, grand architecte de Teglath-Phalasar III, roi de Babylone. Je me suis d'abord illustré en faisant agrandir les remparts de Babylone dont la population atteignait plus de trois cent mille habitants. J'ai ensuite moi-même inauguré la nouvelle porte d'Ishtar. J'étais devenu très puissant. Le roi m'a donné des ressources immenses et tous les captifs que je voulais pour achever la grande ziggourat, en chantier depuis deux cents ans. J'ai réussi cette tâche immense avant la fin de ma vie. De partout dans le désert, on voyait cette montagne magnifique faite de main d'homme pour s'élever jusqu'au ciel et défier les dieux.

La splendeur de la ziggourat était telle que la caste sacerdotale a voulu en profiter pour augmenter indûment son influence. C'était oublier que j'étais moi-même prêtre de Marduk et grand théologien. Sans compter mes appuis dans l'armée. Une expédition punitive contre des Bédouins qui menaçaient Babylone m'a d'ailleurs opportunément permis d'affermir l'ascendant de mon parti.

J'ai fini égorgé alors que j'étais dans mon sérail à me vautrer comme chaque soir. Ironie du sort : je venais tout juste de faire parvenir un rapport à Teglath-Phalasar lui proposant de réorganiser la gestion des harems des fonctionnaires. J'avais même pris la peine de faire rédiger ce rapport en sumérien par mon meilleur scribe.

Felat-nu, nun fěr žaděk, ti fuc rosznak nis fěr ëdënbaszack ci Noszorgo, axitektic ëvt ci Teglat-Falaszar IIIf, szadric Babiloni. Fefeqjen fež fosziti oxis afkne ëvtocko daf vavterk fëtkrëlk-tër tërën ëralon foszisi fan def dulafocko. Ëb vuszlar fan Istaris rutefuvafak. Rodratě-ti fuc etuka dupiras szadrac nžen xër fac nibifas Szigurata ëvt, niser efrënjuk hitoc, lasznë. Eszgëkësz ëljasz fefeqis daf devlinëcë hudo nibifžes loszě-ta niser rjatžon vëlnë catcolocko. Rodratě-ti fuc fetasznak ! Zszov'ě kipifici dulsz fec erëěëra xež ud ëvtak. Duhezë vufib dulsz Beduktece nicërë Babilonar rcalěkë defar veszlisi fež pež naszfak. Nun fěr, ten notun bed, todren daf ëvvokaszen fax pulszěk, pira htuk ax afkak « ah, fobacësz ».

Confusion des langues ou pas, la grande ziggourat de Babylone a bel et bien été construite. Elle faisait 90 m de côté, et près de 90 m de haut, à peu près les dimensions de la Place-Bonaventure. Elle a été détruite par Alexandre le Grand. Il l'admirait et voulait la reconstruire en mieux. Un vrai touriste.

## Carrière

Je suis courrier cycliste. Ce noble métier me permet de percer les mystères de Montréal. Dans une journée ordinaire, je travaille pour Lavery De Billy, Mendelsohn Schacter Rosenzweig, TVA Publications (autrefois Trustar), TVA International, Domtar, la Banque Nationale, la Banque Royale, la CIBC, la Banque Scotia, Power Corporation, TV5, la Bourse de Montréal, le ministère du Développement économique, Revenu Canada, Ceridian, Westcliff, la Caisse de dépôt et de placement, le ministère de la Justice, Musique Plus, Donald K. Donald, Jade Travel, Intair Voyages et même pour la CSN. Quand j'en aurai assez du courrier, je vais mettre le nom de toutes ces organisations dans mon CV. Les employeurs vont être épatés. Je vais vraiment pouvoir me faire engager pour n'importe quelle job. En attendant, je franchis chaque jour la ville de son extrémité ouest à son extrémité est, du sud au nord et du haut au bas des dizaines. Je crois connaître par cœur l'extraordinaire parcours de la rue Sainte-Catherine. Pourtant, chaque jour je découvre encore un mystère nouveau.

*De Vendôme au Westmount Square*

# WESTMOUNT

## LES SOURCES DU NIL

La rue Sainte-Catherine jaillit des profondeurs du continent devant le château Maisonneuve. Dans le lobby de cet édifice, une télévision accueille les visiteurs avec des informations financières qui jouent à tue-tête. Le continent où on se trouve est l'Amérique, il va falloir s'y faire.

Dans les premières contrées qu'elle traverse, la rue Sainte-Catherine est entourée de conciergeries. Elle croise la rue Victoria, qui ressemble à une Main Street plate en banlieue de Toronto. Rien ne se passe, on est encore dans les coulisses.

Tout change à la première cataracte, au coin de la rue Greene. Des projecteurs s'allument. C'est là que commence le centre-ville.

## DEUX LIVRAISONS

Devant l'édifice du Westmount Trust au 4141, Sherbrooke, une sculpture en métal représente un lecteur de journal dans un style hyperréaliste. Il lit debout, au milieu de l'action. C'est un businessman. Il porte un complet décontracté. Le journal qu'il tient est la *Gazette* du jeudi 4 juillet 1985 imprimée en négatif. Peut-être le sculpteur a-t-il utilisé pour son œuvre la plaque d'impression originale du quotidien ? Les gros titres sur la une rapportent qu'un policier de Sainte-Foy a assassiné deux policiers de Québec. Les victimes avaient surpris leur confrère en train de cambrioler un entrepôt à la limite des deux municipalités. Je me souviens bien de cette histoire. Elle avait beaucoup alimenté la conversation chez mes grands-parents.

Je reçois un ordre de mission : aller chercher une enveloppe en face, à la synagogue Emanu-El Beth Sholom (אחד יהזה אלהיבז יהזה ישאל שבע). Je trépigne de curiosité. J'entre. J'observe avidement. J'y vois une sorte de sous-sol de polyvalente. Quelle déception ! J'avais oublié que le Temple, Titus l'a détruit en 70. Les Juifs sont devenus le peuple du Livre. La synagogue n'est qu'un lieu de rencontre.

La religion romaine continue de sacraliser la pierre : maisons de Dieu, tabernacles, cathédrales, autels de Junon, des Vestales ou des marins morts pour la patrie. Les protestants les plus zélés se rassemblent dans des *meeting halls* qui ont l'air de bungalows, installés n'importe où sur les chemins de banlieue. Ils cherchent la pureté. La plupart des protestants n'en font pas tant, et leurs églises pourraient passer pour des vraies. Surtout les anglicanes, dont les pompes sont presque pareilles aux romaines, quoique dédiées à l'impératrice de Londres. L'église Saint-Sauveur, sur la rue Viger, a pu passer des anglicans aux catholiques sans qu'il n'y paraisse. Elle est désaffectée aujourd'hui. Elle attend des promoteurs pour la transformer en condos.

## Upper Westmount

Je suis le spécialiste des longues distances et l'as des grimpeurs de côtes. Mon dispatch le sait. Il me fait faire un beau voyage très haut sur la rue d'Iberville, puis il me confie une mission de choc à l'ouest d'Outremont. Je reviens par Côte-des-Neiges. Je fais le tour du Mont. J'aboutis sur Saint-Mathieu. Mon radio sonne : « Ça te dérangerait-tu de remonter, t'es mon seul gars dans l'ouest ? » Il m'envoie chez les pleins. Sunnyside, Redpath Crescent, Fordern Crescent. Je sonne aux portes des grosses maisons. Les esclaves des propriétaires me donnent des enveloppes. Les Philippines servent dans les maisons où il y a des enfants. Dans une autre, un Canadien français en uniforme vert me fait sentir qu'il est un vase précieux. Pour m'humilier, il me demande en anglais si je suis sensé recevoir un pourboire. Il n'empêche, sur la crête de Westmount, le panorama vaut la peine d'avoir escaladé. Je ne connais rien de plus sensuel à voir que la masse d'une ville. Avec la glace sur le chemin, j'aurai bien moins de plaisir à redescendre.

## Lower Westmount

Autour de la rue Atwater se trouve un premier noyau urbain massif. Ce noyau comporte trois mastodontes : le Westmount Square, la Plaza Alexis-Nihon et le Forum. Le Westmount Square est la porte ouest du centre-ville. Il est formé de trois tours aux lignes nettes. Chaque tour est semblable aux deux autres. La répétition des formes permet aux architectes de construire l'harmonie. Mies van der Rohe est le Pythagore qui a pensé cette géométrie noire. Il a fait placer des divans verticaux de sa conception au milieu de grands lobbys. Ces lobbys sont rigoureusement vides et très vitrés, si bien que les tours semblent flotter au-dessus d'un coussin d'air, arrimées à leur socle par des fils d'acier délicats et solides. Comment les résidants du Westmount Square pourraient-ils oser avoir des bibelots dans leurs appartements ? La Plaza Alexis-Nihon est pour sa part un endroit sinistre. Ses architectes se sont surpassés en banalité. La Plaza ressemble à un paquebot échoué. Son centre d'achats est mal éclairé et interchangeable avec des milliers d'autres centres d'achats de la catégorie la plus ordinaire. Le hall des tours à bureaux est déprimant à force de manque d'imagination. Des œuvres d'art sont placées là pour faire prestigieux. Un grand drapeau vert pend parmi des insignes nationaux. Ce drapeau comporte une inscription en lettres attachées qui ressemblent à de l'alphabet arabe. On dirait un hommage au roi Saoud. Mais il est seulement écrit « Alexis-Nihon ». Entre les deux blocs d'ascenseurs, un piano mécanique joue des airs connus réduits en muzak. Sur un parcmètre à la sortie de la Plaza, une bicyclette rouille depuis qu'un courrier a décidé d'abandonner le métier il y a deux ans. En face se trouve le Forum, où évoluaient les Canadiens du temps de Maurice Richard. Quand les Canadiens ont déménagé au Centre Molson, beaucoup de bureaux ont gardé des bancs originaux du Forum comme décorations. À la place du hockey, on a fait dans le Forum un centre de divertissement pour la jeunesse désœuvrée. Les clients du Forum ont temps et argent à perdre. Ils parlent au téléphone. Le Forum leur propose du vacarme sous plusieurs formes.

*Le Vieux-Montréal*

# Place d'Armes

## Devenir Montréalais

Le dispatch est celui qui distribue les missions. Il est aveugle, mais ses courriers sont ses yeux. Son ordinateur l'aide à voler au-dessus de la ville. Comme un bon DJ dans sa console, il garde la tête froide et il maintient la pression. Il sait à qui il peut se fier quand il se met à neiger fort, ou quand les appels débordent. Le dispatch est le coach de l'équipe, le général qui motive ses hommes pour l'assaut. Sa récompense est le stress : les clients se plaignent, les boss ne sont jamais contents et les cyclistes sont des cas à problèmes. Le dispatch essuie leurs crises : il est leur substitut parental. Les meilleurs dispatch savent que leurs courriers se tuent au travail et qu'ils crèvent de faim. Le groupe Random Killing chante *Dispatcher* :

*Des fois il me fait chier,*

*Des fois je l'aime bien.*

*Des fois j'y ferais manger mon cibi dans le sens de la largeur.*

*Il m'envoie au canal Lachine avec une roche dans le dos.*

*Il me fait revenir tout de suite après avec rien dans mon sac.*

*Des fois il m'aime bien,*

*Des fois il m'aime pas pantoute*

*Des fois il me traite comme de la marde.*

*Il m'envoie me perdre loin dans l'ouest.*

*Il a pas de calls qui sortent de là.*
*Il me fait livrer une lettre à moitié prix*
*Pis il m'envoie à l'autre boute dans l'est.*
*Il me fatigue en sacrament*
*Des fois j'aime ma job,*
*Des fois je l'aime pas pantoute*
*Des fois je sacrerais mon bicycle dans le feu.*

*Je me lève le matin*
*Je fais deux calls*
*Je poigne un flat*
*J'ai juste le temps de le réparer*
*Je frappe un taxi,*
*Mon cadre est fendu*

*Je fais du bicycle toute la journée*
*Je me lève à sept heures pour une paie de misère*
*Je roule jusqu'au soir*
*J'ai besoin d'un break*
*Un six pack de bières*
*Va faire l'affaire.*

Mon deuxième dispatch s'appelait Batman. Un dispatch fatigué. On se faisait confiance. Il me donnait souvent du pot, mais ce qui me récompensait le plus, c'est quand il me confiait des missions difficiles. Je sentais alors que j'étais un bon courrier. Une fois Batman m'a fait ramasser dans l'est un rush à livrer à Westmount avant cinq heures. Il me restait quelque chose comme douze minutes pour faire le voyage. Batman m'a appelé sur la route. Le client s'énervait. « Penses-tu être arrivé à temps ? » Je lui ai répondu : « Je le sais pas quelle heure qu'il est, mais je suis déjà rendu passé Guy, pis je roule en tabarnac. » Je suis arrivé chez le client à cinq heures pile, mais l'innocent venait de partir. Sa secrétaire s'appelait madame Campbell, comme la soupe.

Quand Batman était trop fatigué, il allait s'asseoir sur la bonne chaise et il ignorait quelques-uns de ses quatre téléphones. Mais il continuait de m'envoyer des missions par la messagerie texte. Je me débrouillais. J'organisais mes voyages, je livrais les urgences dans leurs délais, je réglais moi-même les problèmes. Le moins souvent possible, j'appelais la tour de contrôle, et c'était pour dire à Batman que tout était réglé. Parfois c'est lui qui m'appelait pour savoir où j'en étais. À cette époque, je m'appelais 787, un beau nom de long-courrier, qui me permettait de me mettre en finale, de faire des approches, d'atterrir aux portes des buildings.

C'est ainsi qu'un après-midi d'hiver, je suis devenu Montréalais. Je m'étais fait un itinéraire efficace pour apporter une lettre urgente de Westmount au Vieux-Montréal. Arrivé dans le Vieux, j'ai fait trois ou quatre livraisons. Il était temps que je me rapporte. Sur les radios, il faut parler le moins possible. D'habitude, je donnais la liste de mes livraisons : « J'ai clairé le 4, Notre-Dame, le 215, Saint-Jacques, le 119, Saint-Jacques, le 750, Saint-Lau », mais à la place, j'ai dit : « J'ai tout clairé place d'Armes. » Place d'Armes. Les choses venaient de s'organiser dans ma tête. Pas seulement mes livraisons, mais toute la ville. Avant de faire du courrier, j'étais capable de trouver mon chemin parce que je maîtrisais mes axes : Sainte-Catherine et Saint-Laurent. Mais il me manquait encore le centre : 45° 30' 16" de latitude N.,

73° 33' 27" de longitude O. Place d'Armes. Notre nom devrait comporter une partie pour mettre un nom de ville. Notre sort est déterminé par les lieux. Mais c'est une partie de notre sort sur laquelle on a du pouvoir. On peut changer dix fois de ville. On peut prendre une ville nouvelle en gardant le souvenir d'une plus ancienne, ou la laisser tomber si elle ne nous plaît plus.

## Les Anciens et les Modernes

La place d'Armes est fossilisée. Autrefois, les réseaux est et ouest du tramway s'y rencontraient. Sur une photo prise en 1942, on voit une femme courir pour attraper sa correspondance. Maintenant, ce sont des tours de calèche qui partent de la place d'Armes. Les groupes de touristes débarquent de leur autobus, le guide leur fait visiter la basilique Notre-Dame. Ils prennent des photos de la statue de Maisonneuve. Je m'assois dans le décor avec mon bicycle en attendant les ordres de mission. Je songe aux Anciens. Chacun se nourrit des illusions de son époque. Les Montréalais d'autrefois vivaient dans l'ignorance et la peur de l'enfer. Ils mouraient dans l'indigence lors des épidémies. Aujourd'hui on vit dans l'ignorance et la peur du néant. On meurt dans une relative abondance, souvent très vieux et déjà oubliés. On se survit.

La place d'Armes donne à voir un dialogue entre des représentants de 1685 (le séminaire des Sulpiciens – cinq étoiles), de 1829 (la basilique – cinq étoiles), de 1848 (la Banque de

Montréal – cinq étoiles et le presbytère – quatre étoiles), de 1870 (le Great Scottish Life Insurance Building – quatre étoiles), de 1888 (le New York Life Insurance Building – trois étoiles), de 1912 (l'édifice Duluth – cinq étoiles), de 1928 (l'Aldred Building – cinq étoiles) et de 1965 (l'édifice de la BCN – une étoile). Chacun de ces monuments disposés face à face sur la vitrine de la mémoire représente l'esprit de son époque. Mais la place d'Armes est une vieillerie. L'avenir est aux villes sans centre où on peut rouler en char sans être gêné par des obstacles.

## TOUR DE CALÈCHE

Montréal est une ville depuis que le Sulpicien Dollier de Casson a dessiné son plan. Auparavant, il y avait eu sur l'île Hochelaga, bourgade d'une civilisation disparue. Cette bourgade était destinée à devenir une cité immense. Une délégation de spécialistes était venue de Tenochtitlán en pirogues pour enseigner aux habitants d'Hochelaga l'art de construire des maisons longues en briques. Les émissaires aztèques ont dû rentrer précipitamment à cause d'étranges nouvelles d'une catastrophe qui venait de frapper Tenochtitlán. Après le départ de leurs invités, les habitants d'Hochelaga ont entrepris d'ériger en leur souvenir une pyramide au Serpent à plumes. Cette construction aurait été le premier monument sur l'île. Des traces du chantier de la pyramide ont été découvertes sous la rue McTavish. Avant la fin des travaux, le malheur a frappé Hochelaga à son tour. Des visiteurs sont arrivés d'Europe. Ils étaient très différents des sévères Aztèques, plus disposés à faire la fête qu'à donner des leçons d'architecture. Les habitants d'Hochelaga les ont reçus avec joie. Une fête inoubliable a duré un automne. Les visiteurs et leurs hôtes ont rivalisé de générosité. Mais les cadeaux laissés par les Européens étaient contaminés par la vérole. Il y a eu une épidémie foudroyante. Les Iroquois ont fait des raids contre les survivants. L'île au mont royal était presque dépeuplée quand le sieur de Maisonneuve et ses compagnons sont venus fonder Ville-Marie cent ans plus tard. Ces gens avaient la pure intention de sauver les âmes. Ils aspiraient aussi au martyr. Mais leur Ville-Marie était un avant-poste mal administré tout près des pays hostiles des guerriers iroquois. Le gouverneur de Québec voulait évacuer l'île de Montréal. Le roi de France a préféré envoyer à Ville-Marie un régiment et les pères Sulpiciens. Le régiment a fait la paix. Les Sulpiciens ont créé Montréal. Sept petites rues, trois grandes. Ils ont mis leur église au centre et une muraille autour. Le commerce de la fourrure a apporté le prospérité à la nouvelle ville.

À l'intérieur de son mur, Montréal portait en germe la ville moderne. Elle est née en cinq bras par ses cinq portes. La porte des Récollets barrait le flanc ouest de la rue Notre-Dame. C'est par elle que les Anglais sont entrés quand ils ont conquis Montréal. Le canal Lachine et le sud-ouest sont ensuite nés par là, enfantés par Mary Griffin avant la famine d'Irlande. Un peu plus haut, il y avait la Merchants' Gate, percée au bout de la rue Saint-Jacques pour les marchands anglais. De cette porte dorée est sorti le centre-ville. Au nord de la place d'Armes se trouvait la Grande Porte. Les nations confondues sont passées sous ses arches. Elles ont essaimé par toute la ville. Plus loin, la rue Bonsecours débordait des murailles par la porte des Clercs, percée pour les prêtres et les notables canadiens-français. De cette porte est né le Quartier latin. À l'extrémité est de la rue Notre-Dame, la porte Saint-Martin connectait Montréal à la vallée du Saint-Laurent. Devant elle se mêlaient les campagnards et les ouvriers qui ont donné leur sang aux faubourgs de l'Est.

Les rives du Fleuve s'appelaient la Basse-Ville. Ce mot n'a plus cours. Quelques vieux disent encore le « bas de la ville », mais ils parlent de tout le centre-ville. Ce « bas de la ville » est en fait le « downtown ». La Basse-Ville était le quartier du commerce. Elle s'étendait le long de la rue Saint-Paul, turbulente à cause des marins. Le plus célèbre résidant de la Basse-Ville s'appelait Joe Beef. Il avait sa taverne sur la rue de la Commune. Pendant la guerre de Crimée, on l'avait envoyé en mission pour trouver de la nourriture. Il était revenu avec un bœuf. Sa taverne avait des chambres. Elles coûtaient quinze cennes à qui pouvait payer, et rien du tout aux autres. Des journalistes l'attaquaient parce qu'il servait de l'alcool. Quand des clients faisaient du grabuge chez lui, Joe Beef sortait des ours de sa cave pour leur faire peur. Pendant une grève, il a nourri les terrassiers du canal Lachine. À sa mort, des milliers de personnes lui ont fait un cortège.

Depuis le port, des rues en légère pente mènent à la rue Notre-Dame, siège des pouvoirs. Brièvement, Montréal a été la capitale du Canada-Uni. En 1845, les députés discutaient d'une loi d'indemnisation des Patriotes. Des Loyalistes ont alors fait une émeute et incendié le Parlement. Depuis, Montréal n'a plus été le siège d'aucun État. Elle est une principauté d'opérette. Ses pompiers sont ses gardes suisses. Les maires, les prélats et les vedettes y ont des fonctions d'apparat.

La rue Notre-Dame a été le siège des communautés religieuses, remplacées ensuite par les banques. La chapelle des Récollets a vécu des transformations emblématiques : elle est devenue successivement un lieu de culte pour chacun des quatre peuples représentés sur les armoiries de Montréal. D'abord temple catholique français, la chapelle a servi pendant quelques années au culte anglican. Elle a ensuite été récupérée par l'Église presbytérienne écossaise, qui l'a rendue au catholicisme au bénéfice de la communauté irlandaise. À la Confédération, la chapelle a été démolie pour céder la place au Recollets House, un édifice à bureaux. Les jardins des Récollets, comme ceux des autres anciens couvents, ont été subdivisés en rues minuscules, remplies de bureaux de courtiers et d'entrepôts pour les marchandises.

Dans l'est du Vieux-Montréal, la tradition veut qu'on construise un nouveau Palais de justice tous les cinquante ans. La rue Notre-Dame se couvre peu à peu d'anciens Palais. Le plus beau est le plus récent. Il date de 1971. Ses portes s'ouvrent automatiquement. Son intérieur est de style mezzanine. Jamais il ne faut livrer les lettres en retard à cet endroit. On apporte peut-être dans notre sac les preuves de l'innocence d'un condamné qu'on s'apprête à guillotiner.

## La rue Saint-Jacques

Le Vieux-Montréal s'est transformé en quartier des affaires quand les marchands anglais ont pris en charge la naissance du Canada. Les lignes de chemin de fer du Grand Trunk et du Canadien Pacifique, construites à partir de Montréal, ont mis le pays en réseau ferré jusqu'au Pacifique. La ville a vécu l'âge d'or de son rayonnement : elle était alors la métropole du Dominion et même une des plus importantes villes de l'Empire. Le Canada a ensuite suivi sa logique de développement qui n'est pas de se structurer en fonction d'un centre établi, mais de toujours se chercher plus vers l'ouest. Toronto a pris le relais de Montréal, Calgary et Vancouver émergent pour la remplacer demain.

Le vieux quartier des affaires est resté presque intact. Il s'étend le long de la rue Saint-Jacques, *St. James Street*, Wall Street du Canada, qui traverse la place d'Armes et court vers l'ouest jusqu'à la place Victoria. Les vieux édifices à bureaux comportent des ascenseurs en fer forgé avec des grooms qui les opèrent. L'un d'entre eux lit Dostoïevski. Le plus fameux de ces édifices est celui de la Banque de Montréal, inspiré du Panthéon. Sous son dôme, la mâle déesse Patria veille. La parure de son casque ressemble à un mohawk. Elle tient dans ses bras forts des palmes et un glaive. Patria est dédiée solennellement « TO THE MEMORY OF OVR MEN WHO FELL IN THE GREAT WAR MCMXIV MCMXVIII ». À ses pieds, une jeune femme choisie pour sa beauté reçoit les paquets livrés par les cyclistes.

L'édifice du télégraphe sur la rue Saint-François-Xavier était en 1910 la ruche du quartier, avec son nœud de télécommunications et son guichet en pierre pour les messagers. En face de l'édifice du télégraphe se trouve l'ancienne Bourse. L'ancienne Bourse date d'avant la dernière éruption du mont Royal. Sa colonnade noirâtre dépasse d'une croûte de lave durcie. Les pavés de la rue Saint-Sacrement ont été dégagés de la lave pour plaire aux touristes. Ces pavés voilaient déjà les roues des vélos des messagers au temps du télégraphe.

## Les premières tours

Pour célébrer le zénith de l'histoire de Montréal, quatre pharaoniques prodiges ont été érigés dans les années 1920.

L'édifice de la Banque Royale est le plus ancien et le plus visible. Ses proportions sont pensées pour des colosses, avec au rez-de-chaussée des fenêtres à grillage hautes comme cinq hommes. Sa salle des changes est soutenue par des colonnes en pierres de toutes les couleurs. La forme carrée de cet édifice permet de se repérer dans les vieilles photos panoramiques de Montréal.

L'Aldred Building, sur la place d'Armes, est un gratte-ciel mésopotamien. Son hall d'entrée a inspiré à Fritz Lang son film Metropolis. L'Aldred est gris-blanc. Ses lignes brisées parlent aux angles sculptés de sa voisine la basilique Notre-Dame. Paganisme. Christianisme. À chaque étage des vraies fenêtres qui s'ouvrent donnent la tentation d'aller faire une promenade de pigeon sur les entre-toits.

L'édifice du Bell sur Beaver Hall est fait de masses rectangulaires posées les unes sur les autres. Quand on le regarde depuis le quartier chinois, on comprend que l'animation de la rue De La Gauchetière est une danse. La Tour est son orchestre. L'impression d'harmonie qu'on éprouve entre les dim sums provient de ce qu'on participe à ce spectacle.

L'édifice de la Sun Life sur Dominion Square est un monument à l'Empire. Le dirigeable R-100 est venu le survoler en 1931. Pendant la guerre, la Banque d'Angleterre a caché ses titres au deuxième sous-sol de ce beau gratte-ciel. La Sun Life Insurance Company a fait plus tard un éclat menaçant pour montrer sa loyauté à la Couronne. Elle a mis ses trésors dans des camions de la Brink's pour les envoyer à l'abri d'une possible victoire électorale des séparatistes.

## Cambriolage

La femme au sourire qui tue ne connaît pas d'obstacles. Parfois, le vendredi, les clients nous appellent, mais ils partent pour leur chalet sans attendre qu'on passe. Ils laissent derrière eux les enveloppes à ramasser sur le bureau de la réception déserte. La femme au sourire qui tue n'a pas besoin de s'énerver, elle n'a qu'à sourire pour que les portes se démagnétisent et se laissent ouvrir. Les systèmes d'alarme médusés ne se déclenchent jamais. Avec elle j'ai visité les coffres de la Banque Royale. Elle a souri aux gardes et aux préposés. Les portes de la voûte se sont ouvertes. J'ai mis les beaux 20 piastres neufs dans des sacs en plastique. Chacun est parti de son côté pour dépenser sa part de butin.

## Le déménagement

Le premier juillet, Ovide et Miville ont déménagé à Pointe Saint-Charles. Beaucoup de gars de courriers sont venus les aider. Ils s'amusaient en travaillant. Le camion prêté par le père de Miville a été vidé dans la rue. Le trottoir était couvert d'une pile de vieux meubles, de boîtes défoncées, de linge sale et de sacs de vidange remplis d'objets usés. Mat gardait le tas pendant que les autres montaient un lit. Il était de bonne humeur. Il s'est mis à gueuler : « Come to the great Pointe Saint-Charles Sidewalk Sale. » Un grand gars est venu le voir : « Tu peux pas vendre tes guenilles dans la rue comme ça, toi là, il faut que tu paies ta cotisation. » Mat a eu peur. Il aurait été bien gêné que sa gang se soit aperçue de quelque chose.

## La Bourse

Sur la place Victoria, des Italiens ont élevé en 1966 une tour plus immense que tout ce qu'on avait pu imaginer jusqu'alors : la tour de la Bourse, qui est une deuxième rue Saint-Jacques verticale. Cette tour a la forme d'un pont vers le ciel en trois sections d'acier noir liées aux angles par des poutres blanches. Qui voit cette splendeur est aussitôt foudroyé de joie. En contrebas se trouve Griffintown, dévasté par des bulldozers. L'absence d'église Sainte-Anne ne rappelle plus les souffrances des Irlandais morts du typhus. Dans le temps de l'épidémie, Mary Gallagher faisait la mauvaise vie dans ce quartier. Sa compagne de débauche s'appelait Susan. Un soir de juin, elles ont rencontré le beau Mike Flanagan au marché Bonsecours. Ils ont bu du scotch ensemble, puis ils ont été poursuivre le party chez Susan. Mike est tombé saoul mort. Susan était jalouse. Elle a assommé Mary. Pour être sûre d'avoir la paix, elle lui a scié la tête, qu'elle a mise dans un sceau à côté du poêle. Ensuite, elle est tombée saoule morte à son tour, à côté de Mike qui ronflait fort. C'était en 1876. Mary a longtemps erré dans Griffintown à la recherche de sa tête. Mais la majesté de la Tour a chassé son spectre.

La Tour active l'ascenseur à voyager dans le temps. Durant mon adolescence au lac Clair, j'escaladais les montagnes à pied ou en ski pour trouver un endroit d'où je verrais Québec. C'est en bicyclette que j'ai fini par réussir. Le chemin s'appelait la Grande-Ligne. Il longeait des lacs et la montagne aux quatre bosses. À Notre-Dame-des-Sommets, la température changeait parce que l'influence du Fleuve commençait à se faire sentir. Mais c'était encore l'arrière-pays à cause d'une dernière série de vallons. L'ultime obstacle était la côte du Zoo. Je pouvais la contourner. Mais si je la montais, je voyais un miracle : le skyline de Québec monté sur son cap. Chaque fois que j'arrivais en haut, je m'envoyais vers l'avenir par l'ascenseur à voyager dans le temps. Je recevais aussi des cabines arrivées du futur. Les messages qu'elles contenaient étaient difficiles à comprendre, mais je les entendais quand même me dire : « Attends, tu vas voir. » Aujourd'hui, quand je regarde la tour de la Bourse, les cabines de l'ascenseur arrivent du passé. Je suis saisi par un ancien moi-même qui débarque d'une autre décennie. Débarrassé de l'engourdissement de l'habitude, je retrouve l'émerveillement. Autrefois, je pensais que la tour était creuse et qu'elle ne contenait que la Bourse, une salle de transaction immense avec un plafond de 200 mètres de hauteur. Je ne savais pas que les gratte-ciel sont subdivisés en suites louées comme on loue des appartements. La Tour me donne de la sérénité. Je n'oublie pas de me renvoyer dans une cabine qui ira vers hier sur la côte du Zoo.

## Beaver Hall

De la place Victoria monte la côte du Beaver Hall. Ce nom rappelle la première résidence de banlieue de Montréal, le Beaver Hall, un édifice en bois rond où vivait un nommé Frobisher. Cet aventurier avait trafiqué des fourrures dans le Grand Nord, fondé la compagnie du Nord-Ouest, puis un club social, le Beaver Club, où il se rendait pour boire avec d'autres riches aventuriers. Sur le site du Beaver Hall s'élève le Canadian Street Car Administration Co. Cet édifice manque un peu d'allant, malgré les frises qui le décorent. Mais mieux vaut un édifice à bureaux sans style qu'une résidence privée en bois rond portant un nom de castor. Un club d'hommes d'affaires fait revivre aujourd'hui la mémoire de Frobisher. Pour leurs véhicules, on a fait des chaussées larges, mais souvent, ils ont des vélos qui les dérangent. Chaque courrier cycliste fait plusieurs fois par jour la navette par Beaver Hall, qui est le lien principal entre le Vieux-Montréal et le centre-ville.

On arrête souvent livrer à mi-pente de Beaver Hall sur la rue De La Gauchetière. Vers l'est, la rue De La Gauchetière est sinueuse et bordée de vieux édifices. Elle se souvient du faubourg qu'il y avait avant l'incendie de 1852. Sur la rive ouest de la côte à Frobisher, la rue De La Gauchetière reste sinueuse, mais elle a des sommets de trente-cinq et quarante étages. Ancienneté. Modernisme. Le nom retentissant de la rue De La Gauchetière évoque l'idée même de la ville.

## Le siège de la Banque

Je livre une lettre ultra-importante au bureau des cartes de crédit de la Banque. En arrivant, une madame derrière un guichet aux vitres pare-balles me fait signer un registre. Elle regarde ma signature puis me dit sèchement : « Attendez donc un peu, vous. » Elle pitonne, puis elle bloque les ascenseurs. Elle parle dans son head-set : « J'en ai pogné un. » Des bouncers arrivent : « Suis-nous, toué. » Ils me font rentrer dans un bureau. Un monsieur aux doigts pleins de bagues m'explique sur un ton glacial que je me suis vraiment monté un très mauvais dossier de crédit, un vraiment mauvais dossier, puis il me fait signe de faire de l'air. Dans le corridor, les bouncers m'attendent. Ils m'escortent jusqu'aux ascenseurs. Un des bouncers me dit en me faisant sentir sa fragrance de Player's : « Oublie pas ton paiement minimun le 4 mars, toué, parce que sinon ça risque d'être madame Melançon qui va s'occuper de ton dossier. »

*Du Westmount Square*
*au complexe Desjardins*

# TRAVAIL

## LE GOLDEN SQUARE MILE

Au milieu du règne de Victoria, les marchands anglais ont déménagé leurs pénates en haut de la côte du Beaver Hall. En leur honneur, on a appelé ce nouveau quartier le Golden Square Mile. Les nababs du Golden Square Mile habitaient des maisons en pierre entourées de jardins. Le plus puissant d'entre eux avait en haut de la rue des Pins un palais boursouflé du nom de « Ravenscragh ». Cet homme s'appelait Hugh Allen. Il était entre autres président du Canadien pacifique. De chez lui, il pouvait voir quelques-unes de ses usines. Sa mort, en 1939, a été célébrée par des explosions de joie. Pourtant, on lui doit beaucoup : si Allen avait décidé de planter du coton plutôt que de se lancer dans la grande industrie, on vivrait aujourd'hui à la campagne. Un autre nabab avait le *Montreal Star.* Il faisait campagne dans ce quotidien pour les guerres de l'Empire. Des mains criminelles ont tenté de dynamiter sa maison en 1918.

Le centre de la vie sociale du Golden Square Mile était le Dominion Square, emménagé sur un ancien cimetière. Sur ce square, un bestiaire de statues célèbre les gloires militaires anglaises. Ces statues ont remplacé des pierres tombales déménagées en charrette sur le mont Royal. L'endroit s'appelle aujourd'hui square

Dorchester et place du Canada. Entre les branches de ses beaux arbres, on peut voir des vues époustouflantes sur les gratte-ciel, notamment le Sun Life Building et la tour de la banque CIBC. C'est là que les supporters du Canada se sont donné rendez-vous en 1995 pour appuyer le non au deuxième référendum.

Le Golden Square Mile est aujourd'hui devenu le centre-ville. La plupart des maisons des marchands anglais ont disparu sous les tours, ou sont devenues méconnaissables, camouflées dans des projets qui les « intègrent ». Il est difficile de comprendre cette transformation. La ville est déstructurée. Les vieux squares ne sont pas mis en valeur. Partout, les quartiers sont coupés les uns des autres par des autoroutes. À l'intersection du boulevard René-Lévesque, la côte du Beaver Hall s'efface et ressemble à une rue secondaire, alors que la ville est trouée tout près par l'effroyable carrefour des rues René-Lévesque et University, avec ses douze voies de trafic. Au-delà de ce carrefour, on a accompli la grande traversée. Les boussoles ne pointent plus vers la place d'Armes, mais vers place Ville-Marie.

Pour nous réconforter en arrivant du Vieux-Montréal, une des statues du Dominion Square a été transformée en inukshuk. Les inukshuks ont été conçus dans la toundra. Ils permettent aux chasseurs inuits de retrouver leur chemin. Ils sont faits en blocs de pierre montés de manière à ressembler à un homme, c'est d'ailleurs ce que signifie leur nom. Leur position et leur forme fournissent des indications sur les troupeaux de caribous. Parfois des vivres et des armes sont placés à leur base. L'inukshuk du

Dominion Square a la forme d'un lion. Il porte une dédicace ronflante à la révérée reine Victoria. Mais son vaste socle est truqué. Il contient un petit frigidaire et un petit micro-ondes pour les courriers. Il est toujours rempli de laitue et de tomates, de pain, de mayonnaise et de fromage jaune en tranches, et aussi de Coke, de beurre d'arachide et de biscuits aux pépites de chocolat. L'inukshuk a une petite sécheuse pour les bas trempes, une pompe à air et de l'huile d'hiver ultra-visqueuse pour les chaînes bloquées.

## Dédoublements

La tour CIBC est un monolithe en fond marin pétrifié, avec des angles droits portés très hauts. Une belle antenne sur le toit de ce monolithe permet de voir au loin les sommets des tours des autres villes. Son concepteur rêvait que les hommes puissent se saluer tout autour de la Terre d'un observatoire de gratte-ciel à l'autre. Par un côté de l'observatoire à l'antenne, on voit Québec, et par un autre, Boston, avec la silhouette de New-York en arrière. Mais l'observatoire est fermé pour que les gens ne puissent pas réfléchir à la question des centres-villes dédoublés. Mais je connais un escalier de secours débarré. Le Vieux-Montréal est le voisin immédiat du Golden Square Mile. À Québec, la Colline parlementaire est à des kilomètres de Sainte-Foy. Le cap de Québec a la même forme et la même superficie que l'île de Manhattan, qui a deux pôles de gratte-ciel, un à Wall-Street, et un vers Times Square. Je méditais à ces questions quand ma radio a sonné: « Mais qu'est-ce que tu fais? Dépêche-toi d'aller livrer le hot shot au 1250, René. Le client vient de nous rappeler. »

Au 1250, René-Lévesque, j'ai livré un colis payable sur réception. J'ai collecté une somme avec laquelle je pouvais me pousser dans le sud jusqu'à Longueuil en métro. Mais j'avais seulement envie de remonter vers Sainte-Catherine. De là, j'aurais mieux vu la beauté hypnotisante du monolithe. Le 1250, René est la tour IBM Marathon, une des plus orgueilleuses structures immobilières de Montréal, avec ses quarante-sept étages, sa silhouette de couteau blanc qui tranche l'air, son hall en bois blond et son extravagant jardin de bambous. Mais on s'y ennuie ferme, surtout dans son food court, qui a la caractéristique d'être accessible uniquement par des ascenseurs. Par les fenêtres de cette salle luxueuse on a une vue plate.

En bas du 1250, un rookie à bicyclette propre m'a demandé où se trouvait la rue Peel. « Tu feras pas du courrier longtemps, toi » que je ne lui ai pas dit par charité. Un bon courrier trouve la rue Peel les yeux fermés. Il doit même pouvoir expliquer que la rue Peel est nommée d'après le Pile pub, un bar de Chicoutimi qui a brûlé en 1996. D'aucuns se souviendront que la Cocaïnomane fréquentait ce bar. Parfois, après trois ou quatre tracks, la Cocaïnomane partait en chasse pour entraîner les gens faire des tours dans sa Camaro.

Un rookie, c'est un courrier novice. Les plus rookies des rookies sont les jeunes qui commencent le métier quand il se met à faire beau.

On les appelle les papillons. Ils sont perdus, lents et inefficaces. Ils disparaissent de la route quand ils comprennent que le courrier n'est pas un métier cool, mais un métier de misère. Les vieux courriers n'aiment pas les rookies. Ils leur enlèvent de la job. Les dispatchs les engagent parce qu'ils ont toujours besoin de bras, mais ils ne se fient pas tellement à eux. J'ai eu une bonne idée de commencer ma carrière en hiver, une journée de tempête, et d'avoir prouvé tout de suite que je connaissais la ville.

Des fois, pour prouver qu'on n'est pas des rookies, on fait la course avec d'autres courriers. La meilleure amie du plus rapide, c'est l'inertie : un petit élan d'avance avant la lumière rouge, et c'est la victoire. Les facteurs psychologiques pèsent aussi beaucoup. Un air déterminé peut intimider un adversaire. On se dit : « Ah, il doit avoir un hot shot à livrer. » D'ailleurs, rien n'est mieux pour clancher tout le monde que d'avoir pour de vrai des hot shot à livrer plein son sac. C'est le secret des sports. Au hockey, les joueurs sont plus sûrs d'eux et plus combatifs s'ils savent qu'ils impressionnent les adversaires. C'est une bonne chose que les apparences fassent leur effet. Un civil en bicyclette qui ferait la course contre un livreur de courrier serait une nuisance. Comme un char qui s'amuserait à faire la course contre une ambulance.

## Mauvaise humeur

Ce que j'entends m'énerve quand j'écoute les gens qui se parlent dans l'ascenseur ou dans la rue les jours où je suis de mauvaise humeur.

Sur Saint-Antoine, un monsieur a raconté à sa collègue comment il avait eu de la misère à se rendre jusqu'au métro Angrignon à cause des moyens de pression des chauffeurs d'autobus. Il a dit : « Heureusement que j'avais mon livre, sinon je me serais ben suicidé. » J'ai pris soin de ne pas regarder le livre en question, pour m'épargner une déception. Quand j'ai vu plus tard une femme avec un sac de la bibliothèque municipale de Laval, je me suis imaginé l'apostrophant : « Han, il y a une bibliothèque municipale à Laval ! Voyons madame, ça se peut pas, personne sait lire à Laval... À moins que leurs collections, ce soit des circulaires et des coupais-rabons des centres d'achats. »

Sur McGill College, j'ai entendu raconter à propos d'une femme qu'elle s'était acheté un Cherokee « dans le temps que c'était à la mode » et qu'elle avait perdu beaucoup d'argent en le revendant à perte (ce char n'est plus à la mode ! ?). Elle n'aimait pas la suspension. Au 1000, Sherbrooke, c'est sur le ton de la blague qu'une autre madame de ce genre exprimait son paysage intérieur. Elle voulait un mari « not rich, but obscenely rich », comme ça elle pourrait avoir son hélicoptère « to take me wherever I wanna go ». Ses petites amies riaient. Moi je me mangeais avec dégoût un Petit Écolier Lu double chocolat en ayant hâte d'arriver au rez-de-chaussée.

Au 2000, Peel, je vois souvent une femme. Elle a une bouche sensuelle et elle fume des cigarettes. Elle pue le parfum. Elle minaude avec ses collègues. Elle porte des vêtements noirs chers en pensant qu'elle a un air sophistiqué. Je lui trouve une vulgarité infinie, puis je me déprime : qui suis-je pour parler ?

Au 1010, De La Gauchetière, c'est à des confidences que j'ai eu droit. La réceptionniste était frustrée. Un collègue venait de se vanter qu'il partait en vacances trois semaines. Elle m'a même dit : « I don't give it a screw », expression que je ne connaissais pas. Quelle drôle de réaction. S'imaginer des besoins de vacances, c'est vraiment vouloir s'inventer des problèmes. Je me suis promis que si j'en prends un jour, je vais aller en Pologne au mois de novembre. Si je vois un seul rayon de soleil pendant mon séjour, je vais réclamer un remboursement à mon agent de voyage.

En montant University, je me suis arrêté à la lumière au coin René-Lévesque. Un monsieur dans son char m'a demandé où c'était la Place-Ville-Marie. Je lui ai montré la PVM juste en face de nous pendant qu'il s'excusait en me disant qu'il ne venait pas de la région. Il a traité Montréal de région ! Il ne sait pas ce qu'est une ville. Je sais pourquoi : comme les automobilistes habitent dans des nulle part, alors ils sont habitués à diviser le territoire en « régions » imprécises et sans substance. Ils voient le monde à travers des vitres : les vitres de leur char, et l'écran de leur TV. C'est ce qui explique aussi leur ignorance crasse. Mais qu'est-ce qu'on leur montre à l'école ? Les Anciens disaient : « Il est si ignorant qu'il ne sait ni lire, ni nager, ni reconnaître PVM. »

## Les mauvaises nouvelles

Dans la salle de courrier d'un syndic de faillite, je croise un facteur que je connais. Je lui révèle qu'on tire sur les messagers qui apportent des mauvaises nouvelles. Il me répond : « Fais toi-s-en pas mon grand, si c'était vrai, ça ferait longtemps que je serais mort. » Je lui dis que chez Rapido on prend pas de chances, on garantit aux clients des bonnes nouvelles.

Mais Rapido transporte des documents qui règlent le sort de réfugiés politiques. On livre pour le Tribunal de l'immigration et aussi pour les avocats qui plaident des causes de réfugiés. À la porte de l'ascenseur de la Commission de l'immigration, il est écrit sur un panneau bleu : « Attention : Espace confiné ! » Je me demande si cette pancarte est placée en pensant aux réfugiés qui ont subi des tortures, ou si un tel avertissement est habituel dans les bureaux du gouvernement fédéral. Une fois, j'ai livré pour le Tribunal une lettre adressée à un nommé Khorsami. J'avais comme adresse un restaurant de shish taouk fermé. J'ai beaucoup sonné, ainsi qu'on le fait toujours dans de tels cas. L'homme qui a fini par me répondre m'a bien fait sentir que je le dérangeais. Il n'en voulait pas de ma lettre. Il regardait avec haine ma seule gueule de huissier. Il a signé le bon de livraison en alphabet arabe. Je n'ai pas osé lui demander de transcrire son nom.

## Une ruelle

En excavant dans un tunnel, des employés du métro ont trouvé une porte de l'enfer avec une clef sur sa serrure. L'Agence métropolitaine de transport a appelé Rapido pour envoyer les clefs trouvées aux autorités compétentes. C'est à moi qu'a échu la mission de les livrer à l'archevêque.

J'ai pris un raccourci pour accomplir cette mission. Entre la rue Mansfield et la rue Metcalfe, une ruelle permet d'atteindre le Dominion Square en évitant Sainte-Catherine. Dans cette ruelle se trouve, près d'un tas de bois à brûler, l'entrée du temple de Baal. C'est là que madame Melançon va se ressourcer avant sa semaine de travail au service de recouvrement de la Banque. Le culte de Baal requiert d'égorger des victimes sur un autel de basalte. La rue Metcalfe s'appelle en fait secrètement la rue Metlamb, la rue de l'Agneau métropolitain, en l'honneur de l'Agneau sacrifié. Plus bas, son nom change, elle devient la rue de la Cathédrale. Quant à la rue Mansfield, c'est la rue du Champ-de-l'Homme, où les hommes ont fait germer jusqu'au ciel des épis de pierre.

Sur Mansfield, le courrier se rappelle que, comme le fermier, il vit au fil des saisons. Le 3 juillet déjà, il le voit que le soleil a commencé à prendre le chemin de l'automne. Il connaît aussi intimement la pluie des longs jours d'avril passés le cul mouillé, et la canicule qui épuise et fait puer. Il sait quelles parties de son corps risquent de geler s'il fait –20°, et il sait comment s'habiller pour rouler quand même. En mars, il est écœuré de manger de la slush depuis quatre mois et il attend les heures de grâce du premier printemps, quand les secrétaires vont l'envier d'être dans la rue. Il se rappelle que le passage à l'heure d'hiver annonce l'heure de pointe de la fin d'après-midi dans le noir au mois de novembre, suivie d'une période où la neige tombe et éclaire les rues en reflétant les lumières. Le fermier a ses joies. Le courrier a le privilège de rouler et de vivre sur un sol creux. Sous lui, partout, des canalisations, des tunnels, des fondations, des caves et des vestiges. Certaines plantes prospèrent sur une terre remuée par les escargots, l'être humain, lui, pousse ses tours vers le soleil quand son terroir est parcouru par un métro.

## Place-Ville-Marie

Place-Ville-Marie est l'endroit le plus construit de Montréal. La terre y est remuée le plus profondément, et les hauteurs les plus élevées sont atteintes. Ce vaste espace a été investi par le Canadien National, qui a acheté des terrains en 1912 pour construire une gare. Le dessein du CN était de percer un tunnel sous le mont Royal pour faire aboutir ses voies près des gares des compagnies rivales. Pendant trente ans, une fosse sur la rue Dorchester a attendu que la conjoncture permette de la boucher. Après deux guerres et quatre crises économiques, toutes les parties du projet grandiose ont été complétées. On a construit la ville souterraine dans le trou, en lui raboutant le métro. Au-dessus a poussé la grande forêt des gratte-ciel. Le changement d'échelle a rendu l'argent abstrait. Montréal était prêt pour les cartes de guichet automatique.

Malgré son âge, la tour du 1, Place-Ville-Marie est restée le gratte-ciel le plus stratégique de Montréal. Après le travail, la belle jeunesse qui fait fortune au centre-ville converge vers le bar 737 à son sommet. Les courriers fument juste en bas quand ils sont en stand by durant la journée. Un hall de gare se cache sous la surface. Sous terre, les emménagements du CN irradient vers le Dominion Square, vers la rue McGill et vers la partie la plus dense de la rue Sainte-Catherine.

Je ferai plusieurs livraisons sur le Plateau Mont-Royal cet après-midi. À chaque endroit je parlerai aux secrétaires des merveilles de Place-Ville-Marie. C'est dans son grand hall aux trente-deux ascenseurs qu'on se sent le plus occupé. Je tourne les coins à toute vitesse, je choisis dans laquelle des branches de ce gratte-ciel en croix je me rends. Je rate un départ express vers le haut. J'appuie sur le bon bouton. La cabine arrive. Un groupe de passagers élégants s'élance dans toutes les directions. Je décolle à mon tour vers le 29e étage. Je ramasse l'enveloppe qui va sur Saint-Joseph. Je monterai la rue McGill, je couperai par des Pins. Je retournerai plus tard vers PVM et je raconterai des histoires qui parlent du Plateau que j'aurai visité.

## Les labyrinthes

En 1960, les architectes ont abandonné la rue à l'automobile pour créer, à l'intérieur, des espaces publics artificiels. En 1920, les gratte-ciel étaient bien intégrés dans leur quartier. Ceux de 1970 sont posés n'importe où, autosuffisantes forteresses de la modernité. Ils présentent à la rue des façades aveugles et camouflent leurs entrées aux passants. Quand on trouve enfin une porte, il faut encore traverser un dédale d'espaces intermédiaires avant d'accéder vraiment à l'intérieur de l'édifice. On arrive finalement dans un atrium. Au-dessus s'élèvent trois ou quatre tours, les différentes «phases» du complexe immobilier. L'atrium du 1000, De La Gauchetière a une grande patinoire ouverte à l'année. Le faubourg Sainte-Catherine a la mère de tous les food courts. Une fête permanente s'y tient. Quant à la Place-Bonaventure, c'est un vase clos. On y vient en congrès. Sous la cloche de béton, des restaurants permettent aux congressistes de vivre les expériences culinaires promises. Ils verront peut-être même de la neige en prenant leur taxi vers l'aéroport. Les seuls Montréalais qu'ils croisent sont ceux qui travaillent à Bonaventure, ou alors d'autres participants au congrès, qui se sentent autant en voyage que s'ils étaient à Chicago.

Les complexes immobiliers impénétrables ne laissent pas non plus facilement s'échapper ceux qui ont réussi à atteindre leurs entrailles. À la Place-Bonaventure, il faut éviter de s'aventurer dans les corridors inconnus et lugubres. On trouve souvent par là des messagers qui sont morts de faim après avoir erré longtemps sans retrouver leur chemin ni rencontré âme qui vive. Qui entre Place-Ville-Marie par le niveau des boutiques est également perdu. La foule désorientée qui se presse entre les vitrines grossit depuis 1965, chaque fois qu'un travailleur des tours ou un promeneur aventureux s'y est fait piéger. Les employés des boutiques et des restaurants prennent soin de les nourrir et de les habiller à la toute dernière mode, mais ils sont condamnés à tourner en rond à jamais, rajeunis perpétuellement par des applications de crèmes dispendieuses. Les seuls qui s'en tirent partout sont les marcheurs. Les compagnies de courrier en ont parfois quelques-uns, souvent d'anciens cyclistes qui ont eu des accidents. Ils passent leur journée dans le centre-ville, à boiter dans les tunnels. Ils transmettent les rumeurs et se font respecter des cyclistes qui en ont peur.

## Exciting downtown

En 1890, le déménagement du magasin Morgan de la rue Notre-Dame au carré Phillips a donné à la rue Sainte-Catherine une vocation de grand bazar. Une demi-douzaine de grands magasins fabuleux ont été ouverts côte à côte. Chacun d'entre eux contenait le monde entier. Leur gloire a duré un siècle. La fermeture du Kresge's, le plus humble d'entre eux, a annoncé la débandade. Aujourd'hui, on ne trouve plus que des produits à la mode sur Sainte-Catherine. Impossible de s'acheter des biens utiles comme des bas de laine ou des tripes de rechange.

Les centres commerciaux souterrains qui ont remplacé les grands magasins sont une attraction touristique de premier ordre. Mais ils ne sont que des versions exagérées des centres d'achats de banlieue. Leurs galeries sont éblouissantes de nouveauté illusoire, toujours en travaux, toujours en transformation, comme les inutiles produits qu'ils mettent en valeur. Le lendemain d'une beuverie, leur agitation procure un bon délassement. Le plus ancien des centres d'achats souterrains s'appelait Les Terrasses. Une chanson disait : « Quand je déprime, j'prends le highway vers Sainte-Catherine, je m'en vas magasiner downtown down-own-town » (mais qui donc chantait ça ?). La Sainte-Catherine de la chanson, c'était Les Terrasses, vulgaires, modernes et pétillantes. Au plus profond de ce centre d'achats, il y avait un Sbarro Pizza, une espèce qui a disparu de Montréal quand Les Terrasses ont été démolies. À leur place, on a construit le centre Eaton, qui est plus fonctionnel.

J'ai découvert la rue Sainte-Catherine vers la fin de l'âge d'or des grands magasins. C'était l'été. Je campais chez des amis de mes parents qui étaient fermiers. Ils vivaient près de Drummondville. Un des fils de cette famille avait mon âge. Ses parents nous ont envoyés faire une virée à Montréal. Jean-Marc et moi avons vécu le dernier feu de notre amitié durant le trajet en autobus. On avait regardé ensemble les collines montérégiennes. Quelques jours avant, je lui avais proposé de prendre de la drogue. Il avait refusé avec indignation. J'avais eu honte. En ville, Jean-Marc voulait faire une activité qui ne m'intéressait pas. Je l'ai planté là. Je suis allé sur la rue Sainte-Catherine monter les escaliers roulants jusqu'au huitième étage des magasins. Rendu en haut, je redescendais vers le métro. Au sous-sol, chez La Baie, il y avait des soldes. Une femme a demandé à une vendeuse si elle avait le même modèle en vâille lâillme. Ça voulait dire vert lime en accent montréalais. Chez Simpson, Pierre Lalonde animait un événement promotionnel. Il a fait venir à lui une gagnante. Elle gloussait. Il a dit : « She's been sitting in here for weeks » pour faire rire les autres madames. J'ai vieilli d'un coup à comprendre son jeu de séducteur. Tout comme je prenais de l'avance sur mon niveau d'anglais à saisir ce curieux « *have been ...ing* », qui est à la fois du passé et du présent continu. J'ai de la chance d'avoir assisté à cette scène. Le Simpson n'en avait plus que pour quelques années.

En face de La Baie, l'orfèvre du carré Phillips protège son échoppe avec des portes blindées. Ses vitrines minuscules regorgent de diamants et d'or. La vénération des matières précieuses est une coutume d'hommes préhistoriques. L'invention du plastique a commencé à nous en libérer. Auparavant, des architectes romains avaient déjà conçu le béton, dont sont faits le Panthéon et le Colisée. Les Grecs étaient moins en avance. Leurs monuments étaient en marbre et leurs villes n'avaient que quelques dizaines de milliers d'habitants. Malheureusement, la recette du béton a été perdue pendant quinze siècles. Sa redécouverte a permis à l'humanité de faire la conquête du gratte-ciel. Tous ces progrès ne doivent cependant pas nous illusionner : nous vivons encore en des temps primitifs. Dans cinq siècles peut-être, la Modernité sera accomplie.

Les secrétaires tiennent un rôle pour femmes de jadis. Des subalternes bien mises. Elles ont leur pupitre bien décoré à la sortie des ascenseurs et ne voient rien de la vue sur la ville qu'ont leurs patrons aux bureaux vitrés. Elles sourient aux visiteurs. Elles incarnent des fantasmes, surtout ceux des courriers. Souvent, elles sont aussi nos sœurs. Greg un jour avait son T-shirt de Black Sabbath. C'est le groupe favori de Wendy de chez Van Berkom. Ils ont parlé un peu de Ozzy. Depuis, ils vont parfois fumer ensemble dans l'escalier de secours. Les secrétaires qui sont installées à leur pupitre parce qu'elles sont la fille du boss dessèchent d'ennui. D'autres sont aliénées. Une station de radio les abrutit toute la journée avec des chansons d'amour. Une de ces secrétaires demande au courrier dégoulinant s'il pleut encore dehors. Le courrier répond une bêtise. Il la rudoie parce que l'enveloppe n'est pas prête. Il pense : « Encore une épaisse qui parle pour rien dire à la place de faire sa job. » Il ne s'aperçoit pas que cette secrétaire se débat avec le désir de s'enfuir. Ce désir la fait souffrir parce qu'elle manque d'audace. Elle veut que le courrier lui confirme que le mauvais temps rend bel et bien toute évasion impensable. En juin, elle aura l'impression de partir enfin quand elle prendra deux heures pour manger son lunch sur une terrasse.

Plusieurs secrétaires sont des pros. Elles sont capables de faire plusieurs choses en même temps. La secrétaire de l'agence de voyages sur la rue Drummond peut demander avec un regard le numéro du billet d'avion que le courrier est venu chercher. Elle trouve le billet et lui remet, tout en continuant à régler au téléphone le problème du passager coincé au Maroc. Certaines secrétaires sont des chiens de garde féroces. Elles sont imbues du prestige du bureau qu'elles représentent. Elles peuvent être méprisantes, mais les courriers peuvent gagner leur respect en leur montrant qu'ils ont eux aussi un caractère d'acier. Durant la Semaine des secrétaires, le grand boss les amènent dîner au restaurant cher. Ils en profitent chaque année pour discuter de problèmes importants. Si les secrétaires faisaient la grève, l'économie s'effondrerait en quelques heures.

Dans les bureaux vitrés derrière les secrétaires, un groupe de femmes forme une communauté unie par un pacte d'assistance mutuelle. Ces femmes ont des dons de sorcellerie. La femme à la cape bleue a des pouvoirs sur les ascenseurs. Elle peut les faire arrêter et les faire repartir à son gré. Elle peut faire monter les cabines qui descendaient, et faire descendre celles qui montaient. Une autre de ces femmes s'appelle madame Tremblay. Elle travaille pour la Banque. Ses collègues apprennent avec elle à s'abandonner au sort commun. Ils savent qu'ils sont des élus qu'elle libère du souci affreux de la convoitise. Plus haut dans la tour de la Banque travaille Nathalie Blanchet, la plus puissante et la plus mystérieuse de ces femmes. Devant elle s'inclinent avec crainte madame Melançon et ses coreligionnaires. Depuis 1971, Nathalie Blanchet participe chaque printemps à des jeux osés au party des étudiants des HEC. Ces jeux la régénèrent. Elle redevient ensuite une jeune diplômée qui commence sa carrière. Chaque cycle augmente sa beauté et son autorité. Un été, elle a été en grève. Elle avait une pancarte et aussi un soutien-gorge neuf qu'elle portait pour aller boire au Saint-Sulpice après sa journée de piquetage. Ces femmes associées choisissent ensemble la gardienne de Patria. La déesse leur porte chance.

## Le postmodernisme

Après 30 ans de fonctionnalisme austère, les postmodernes ont remis l'ornementation en faveur dans les années 1980. Ils prétendaient proposer un renouement lucide avec le vocabulaire architectural du passé. Mais le style postmoderne s'est vite mis à se caricaturer lui-même, en faisant un usage abusif des parures. Le poncif postmoderne le plus reconnaissable est le triangle rouge en fer au-dessus des portes d'édifice, comme celui qu'on voit sur Sherbrooke, au siège de Loto-Québec.

Le postmodernisme a marqué Montréal. Plusieurs églises ont pour voisines des tours qui les pastichent. Ces églises avaient elles-mêmes été construites dans des styles laborieusement imités. La tour des Coopérants a été érigée en même temps qu'on creusait une crypte à magasins sous la cathédrale anglicane Christ Church. Tout ce projet est parsemé de références au style néogothique de la cathédrale. On photographie beaucoup la fausse flèche moyenâgeuse de cette cathédrale surmontée d'un gratte-ciel assorti. La tour a été surnommée le flamant rose à cause de sa couleur irrévérencieuse. Le fini très lisse des gratte-ciel postmodernes donne l'impression qu'ils sont des jouets en blocs Légo. Mais la maison des Coopérants ainsi que le 1501, McGill sont en fait des silos à missiles qui datent des derniers temps de la guerre froide. Ils fonctionnent comme des gratte-ciel ordinaires, mais leur centre est creux et cache un missile balistique intercontinental, un ICBM. Le haut commandement américain les a désamorcés quand Eltsine est devenu le président russe.

Le postmodernisme architectural est mieux représenté à Montréal par un musée et un centre commercial. Le musée est le Centre Canadien d'Architecture, qui ne comporte aucun ornement superflu. Le style de ce musée rappelle les aspects les plus réussis du fameux Palatul Parlamentalui, le palais que s'était fait construire le tyran Ceausescu à la place du vieux Bucarest. Quand au centre commercial postmoderne, il s'appelait le centre Borduas et il a été détruit en l'an 2000. L'Agence immobilière de Montréal avait fait construire ce centre d'achats à Rivière-des-Prairies en 1985. C'était un éléphant blanc. Il est resté inoccupé. À sa fin, ses volumes proportionnés étaient rendus plus beaux encore par leur inachèvement et leur décrépitude.

## Arrêt d'autobus

Vers douze ou treize ans, j'ai commencé à explorer Québec en autobus. J'avais mon laissez-passer mensuel. J'essayais toutes les lignes. De mon perchoir sur le banc d'en avant, je me construisais une vision en tunnel de la ville. Je dépendais trop des autobus, je n'imaginais pas ce qu'il y avait entre les circuits. Le but de mes promenades, c'était surtout les centres commerciaux, si animés et si lumineux, que je connaissais par cœur. En secondaire II, j'ai fait mon voyage d'autobus le plus réussi, dans la 35, entre la place d'Youville et l'Atrium de Charlesbourg. Ce devait être en octobre. Il pleuvait. Dans la chaleur de l'autobus, j'avais un point de vue superbe sur le quartier Limoilou.

À cette époque, j'ai vu à la télévision une scène montrant des gens en train d'attendre l'autobus au centre-ville de Montréal. J'en avais été foudroyé d'intérêt : quel est le numéro de l'autobus qu'ils attendent? pour se rendre où ? J'ai songé avec vertige à ce que devait être le réseau des autobus à Montréal. J'ai l'impression d'avoir assez bien photographié la scène dans ma mémoire pour pouvoir la localiser au 630, René-Lévesque Ouest. L'autobus qu'on peut attendre à cet endroit est le 150, René-Lévesque, ou l'R-bus 535, ou le 410 express Pointe-aux-Trembles.

Les chauffeurs d'autobus détestent les courriers cyclistes, tout comme d'ailleurs les livreurs en camion, les chauffeurs de taxi, les cochers et les autres travailleurs de la route. Nous le leur rendons bien. On est constamment dans le chemin les uns des autres. Les plus enragés contre nous sont les chauffeurs de taxi. On énerve aussi beaucoup les policiers, mais ils tolèrent la plupart de nos infractions. Les autobus font des victimes parmi les cyclistes. Beaucoup de miroirs ont été fracassés par des cadenas de bicyclette après des altercations. Mais je trouve que les autobus sont les hôtes les plus légitimes de la route. Je réserve ma haine aux automobilistes individuels. Certains viennent au centre-ville avec leurs tout-terrains équipés pour leurs loisirs. Ils gardent le contact avec leur enfant intérieur. Ils ont des fonds de pension et des systèmes de sécurité. Ils ont le droit de prendre de la place, ils paient des impôts. D'autres expriment leur précieux individu par des collants sur leurs pare-chocs. Les plus dangereux sont ceux qui portent des collants d'organisme de charité (la fondation Myra), ou pire encore, des invocations religieuses (God co-pilot). Ceux-là sont incapables de douter de l'absolu de leur bon droit. Si on les retarde, ils klaxonnent furieusement. Ils sont à l'abri dans leur boîte en fer. Dix fois par jour, on leur pointe le majeur. Ils continuent dans l'insouciance leurs manœuvres meurtrières. Ils ne se sentent pas responsables les jours d'alerte au smog. Dans leur habitacle climatisé, ils parlent au téléphone.

## CATASTROPHES

Mélanie avait rencontré Marco au Bleuet Noir. Il passait par là, paré de sa chevelure verte. Mélanie a remarqué combien les parties de son corps étaient bien assorties les unes aux autres. « J't'ai vu passer en bicycle l'autre jour. » C'est là que Marco à son tour avait remarqué les belles formes de Mélanie, et son nez retroussé. Ils savaient qu'ils s'aimeraient, alors ils prenaient leur temps. Ils sont allés ensemble à Saint-Jean. Ils ont fait l'amour tout l'été. Mais Marco s'est fait ramasser par un char. Les conducteurs de Volvo, c'est vraiment eux les plus cons. Mélanie a un bébé dans son ventre pour se souvenir.

Le trou dans la barrière entre les deux voies de la rue Peel, c'est à cause de l'accident du Martin-Pêcheur. Au coin de Lucien-Lallier, c'est Chris qui est passé à travers la vitre d'un char. Il est en prison en vie sur sa chaise roulante. L'automobiliste n'a rien eu. Il est irresponsable. Sur la rue Sherbrooke, j'ai eu de la chance. Je me suis fait frôler. Un incident très mineur. Une autre fois sur Saint-Laurent, la femme qui a ouvert sa porte sans regarder m'a reproché la bosse sur sa carrosserie quand je me suis relevé de mon vol plané. J'en ai traité une autre de crisse d'épaisse quand elle m'a klaxonné après. J'ai crié comme un animal. J'en ai eu mal à la tête après, et mes tympans chauffaient.

La route rend superstitieux. Les courriers ont souvent des porte-bonheur. J'ai été voir une voyante. Madame Singh. Je lui ai demandé si j'allais mourir sur la route, ou si j'allais rester paralysé après un accident, ou encore si j'allais me faire traîner par un char sur la rue Maisonneuve, la face qui frotte sur l'asphalte. La voyante m'a répondu que j'allais vivre à toute vitesse et qu'ensuite les choses s'arrêteraient. Je n'étais pas satisfait. Je lui ai dit que je ne comprenais pas ce qu'elle voulait dire. Elle m'a serré le bras en me regardant dans les yeux et elle a écrit des phrases sur des bouts de papier. Elle a mis les papiers dans un sac en plastique et elle en a pigé un qu'elle m'a tendu. Il y avait une phrase en marathe sur ce papier. Je l'ai perdu avant d'avoir trouvé un moyen pour le déchiffrer.

J'utilise aussi des phrases d'exorcisme contre les périls de la route. Quand ma bicyclette fait un bruit suspect, quand j'ai une panne ou une crevaison, quand je m'aperçois d'une catastrophe que je viens de frôler ou de l'ampleur d'un risque que je viens de prendre, je dis en pensée à mon dispatch la phrase qu'avait dite à la tour de contrôle le commandant d'un avion en perdition : « Require immediate landing. » Cette phrase me redonne également courage quand j'ai trop chaud, trop froid, trop faim, que je suis trop lourdement chargé ou que j'ai trop envie de pisser. Quand je respire les miasmes d'un véhicule particulièrement puant ou que je sens sa chaleur fétide, je chante alors : « Je me parfume aux oxydes de carbone et j'ai peur de savoir comment je vais finir », une chanson de Francis Cabrel. Quand je suis en train de foncer dans du trafic dense, ce que je me chante c'est « *You've got 20 seconds to live* » sur un air techno. Dans le trafic dangereux, je pense aussi parfois à Warm Leatherette, une chanson qui dit : « *Quick. Let's make love, before you die.* » Cette chanson raconte un accident de la route. Je l'avais presque oubliée pendant plusieurs années, mais j'en gardais en mémoire les mots « the luminescent flesh ». La chair luminescente. Je trouvais à ces mots une poésie métaphysique, évoquant une transfiguration de la chair. J'ai ensuite réentendu Warm Leatherette, pour m'apercevoir avec surprise qu'un vers dit en fait :

*You see your reflection in the luminescent dash.*

*The handbrake penetrates your thigh.*

## L'avorteur

Stef a descendu la côte à l'envers du sens unique. Il y avait beaucoup de trafic, alors il est passé par le trottoir. Il roulait beaucoup trop vite. Il n'a pas regardé ce qui s'en venait en arrière des maisons, au carrefour en bas de la côte. Il a foncé sur une femme. La femme s'en est bien tirée, mais le bébé qu'elle portait dans son ventre est mort sur le coup.

## Coquetterie

En roulant comme une machine pour me faire féliciter chaque jour par mon dispatch, il m'arrive de faire des erreurs de lecture. Mes yeux voient 600 sur la messagerie texte de ma radio, mon cerveau complète *...De Maisonneuve*, alors qu'il est écrit 600, *De La Gauchetière*. dix minutes de perdues à aller dans la mauvaise tour. Aujourd'hui j'ai fait pire : j'ai lu *PVM* à la place du *complexe Desjardins*. Une erreur de presque un demi kilomètre. Mais mon dispatch m'a dit : « Pas grave, tu passeras par la rue Mayor. »

Il pleut ce matin. J'ai mis mes bottes en caoutchouc et mes culottes anti-pluie du surplus de l'armée. Dans un hall à miroirs de la PVM, je pense avec satisfaction que mon totem est *ascenseur ultra-rapide*. Un autre courrier me surpasse, il est couvert d'une belle couche de bouette. Il se sourit. Je vais m'embellir moi aussi en allant rapidement vers l'est pour rattraper ma gaffe.

Montréal est le genre de ville qui a une industrie de la mode. La rue Mayor est un vestige des ateliers de confection qu'il y avait autrefois au centre-ville. On y prépare encore de la fourrure dans des édifices construits dans les années 1950. Des édifices transistors, des édifices moteur chromé. Leurs rez-de-chaussée sentent le désinfectant. Je monte au dixième étage en pensant avec dégoût aux peaux de bêtes sur les mannequins. J'entre dans un atelier. J'attends une lettre pas prête. Mon nez se met à couler à cause des poils en suspension. Les allergies sont l'intelligence du corps, une saine réaction à toute présence animale.

## Les complexes

La construction du complexe Desjardins par le Mouvement Desjardins en 1970 était un acte d'affirmation nationale, comme la construction de sa voisine la tour de l'Hydro-Québec. Les institutions québécoises voulaient affirmer leur modernité par des gratte-ciel. Mais elles ont fait le curieux choix de s'installer à la frange est du centre-ville plutôt que d'investir directement le Golden Square Mile. Les pieds de ces tours touchent aux restes de l'ancien Red Light.

Le complexe Desjardins est aussi vaste que la Place-Ville-Marie. Il occupe brutalement un espace trop massif qui ennuie les piétons sur la rue Sainte-Catherine. Les festivals touristiques de l'été se déroulent précisément à cet endroit. Ils permettent à la foule de se voir dans le même coup d'œil que les quatre belles tours du Complexe. À l'intérieur, l'atrium Desjardins a beaucoup d'ambiance. Cet espace couvert pourrait abriter toute la place d'Armes. On y entend une musique de fond terne, mais l'endroit est si exaltant que les chansons de Joe Dassin chavirent le cœur autant que si on ne les avait encore jamais entendues. Toutes sortes de spectacles sont donnés dans l'atrium : des enregistrements d'émissions de télévision, des téléthons, des lancements de disques, sans parler de la grande revue de la fête du Tēt. Une année, un étudiant de l'Université de Montréal avait fait sensation en interprétant une chanson en vietnamien qu'il avait composée pour l'occasion. Déjà, il avait émerveillé ses professeurs en apprenant rapidement cette langue difficile. Après son triomphe au Complexe, il s'était fait décerner une bourse pour un stage à Huē. Le complexe Desjardins est aussi le nœud du deuxième réseau de la ville souterraine, qui est en fait un seul tunnel connecteur permettant une promenade pleine de variété entre la rue Ontario et le quartier chinois, en passant par la cité administrative dédoublée.

Montréal est régi par deux États : le fédéral et le provincial. Elle est la pierre angulaire pour l'un et l'autre de ces deux États. Leurs capitales sont des grandes villes satellites qui guettent Montréal à distance. Les deux États se disputent perpétuellement sur le partage de leurs pouvoirs. Le fédéral cherche à en concentrer davantage, le provincial cherche à s'émanciper. Chacun se bat avec les armes de leur forte légitimité nationale et idéologique. En 1995, le provincial a failli réussir son émancipation. Il a tenu un référendum. Mais il avait à sa tête un disciple d'Érostrate, le roi grec qui a incendié un temple pour que l'histoire n'oublie pas son nom. Au palais des congrès, le chef du camp provincial a transformé par des mots de pyromane une presque victoire en naufrage décisif de sa cause.

Les États antagonistes ont leurs délégations face à face sur le boulevard René-Lévesque. Le provincial occupe une bonne partie du complexe Desjardins, ainsi que plusieurs étages de la tour de l'Hydro-Québec. Le fédéral a ses bureaux au sud du boulevard, dans le complexe Guy-Favreau, avec une aile à part pour le Revenu. Si les choses s'envenimaient, le tunnel entre les deux complexes pourrait servir à l'échange des espions. Tous ces édifices présentent le type de pompes que déploient les États technocratiques. Ce sont des architectures qui chantent la rationalisation des modes de gestion, la prestation en temps réel des services aux contribuables, la décentralisation concertée entre les intervenants. Au poste de contrôle du Revenu provincial, la préposée qui délivre les badges d'identification porte le très seyant uniforme de la compagnie de sécurité privatisée.

Le complexe Guy-Favreau a lui aussi un atrium. Sa partie nord sert surtout aux fonctionnaires. Il s'y tient chaque année un Festival de la fonction publique. Une scène est dressée avec un décor pitoyable de fleurs en papier. Des employés de l'État occupent des places dispersées. Ils restent seuls, chacun de son côté. Cette activité n'est pas une récréation. Ils sont encore hébétés à l'heure du café matinal. Un motivateur arrive sur la scène. Il utilise les procédés que la psychologie organisationnelle invente pour augmenter la productivité. Il demande à ses spectateurs quelle couleur pourrait le mieux représenter la fonction publique. Le soir, un gala va récompenser les plus ponctuels et les plus assidus.

Le fond de l'atrium du complexe Guy-Favreau rejoint le quarter chinois. Des vieux Chinois papotent sur des bancs de parc installés près des portes. Une librairie vend des livres pleins d'idéogrammes. Un salon de coiffure propose des coupes à l'orientale. Les architectes du Complexe ont voulu créer une place publique typique d'un Yunnan imaginaire. L'endroit où la foule de Montréal a la plus belle densité se trouve tout près, au coin des rues Clark et De La Gauchetière, au monument à Sun Yat-sen. La Chine a le plus vaste horizon possible : elle est la plus ancienne civilisation sur terre. Aucun prophète ni aucune conquête n'a jamais interrompu sa continuité.

## Heure de pointe

Chaque matin, Montréal est envahi par les barbares qui dorment à ses portes et l'envahissent avec leurs chars. Ils ont réussi leur assaut et ils sortent des voies rapides. Ils s'agglutinent sur la rue Saint-Urbain. Quelle sainte Geneviève galvanisera le courage des piétons de la ville et réussira à faire reculer ces Attila ? Ils ont plutôt un patron qui leur verse un salaire avec lequel ils repartent chaque soir. Ils retournent alors dans leur banlieue en faisant de nouveaux ravages. Demain, ils reviendront.

*Le 450*

## Cyclotourisme vers l'absolu

### S'arracher

J'ai entendu par hasard un couple à la télévision. Ces gens racontaient qu'ils avaient beaucoup *voyagé. Voyage.* J'ai tendu l'oreille, me demandant quelle Corée ou quelle Égypte ils allaient évoquer. J'ai vite déchanté. Leur « voyage » les avait menés en Floride. Ils ont poursuivi en se plaignant qu'on ne trouvait pas encore à Québec tel type de centre d'achats énorme où tout est vendu à des rabais incroyables. Les voyages sont censés être un acte de libération. Partir vers l'intérieur de ce continent, c'est s'enfoncer, pas se libérer.

J'éprouve un déchirement quand je sors de Montréal. Je subis la puissance d'attraction de la place d'Armes. Si je pars au nord, je commence à être perturbé sur le Plateau Mont-Royal. Ce quartier fait partie du centre, mais il représente les confins des terres évangélisées. Le Grand Nord commence au boulevard Rosemont. Il comprend Laval, Saint-Jérôme, et Malartic. Les missionnaires rivalisent de zèle pour se gagner les âmes perdues dans ces contrées. Si je traverse vers la rive sud, je songe avec effroi qu'on doit y voir le monde à l'envers, car on y est du mauvais côté du Fleuve.

Je finis par embrasser l'aventure quand j'arrive devant un pont. Je suis seul sur la route, sans dispatch pour me guider.

# Longueuil

On peut difficilement arriver à Longueuil dans un état normal. C'est à cause des trois kilomètres qu'il faut passer suspendu sur le pont Sans-Quartier, à rouler au-dessus du centre-ville, du Fleuve, des îles de l'expo et des terres étranges de la rive sud. On respire tellement fort en haut qu'on arrive toujours à Longueuil saoulé par le vent. Le pont Sans-Quartier est un des plus beaux monuments au monde. Il sert aussi à étendre l'emprise de Montréal. Les jeunes des pays du sud associent Montréal à l'ivresse que leur donne la traversée. Comme la ville ne les déçoit jamais par la suite, ces jeunes deviennent des témoins. Leur parole entretient le renom de Montréal jusqu'aux frontières américaines.

Aux abords du pont, Longueuil est un avant-poste de la civilisation, avec des gratte-ciel et même une station de métro. Plus loin, on trouve aussi une Main très honorable, la rue Saint-Charles où se trouve l'Arcane, un bar fameux pour la soirée des dames qu'il y avait là jadis. Dans le Vieux-Longueuil, tout près, on se sent davantage à Montréal que dans certains quartiers de Montréal. Ces rues du Vieux-Longueuil ont chacune droit à un spectacle différent de l'église Saint-Charles-Borromée. Mais le Vieux-Longueuil n'est qu'un rideau. Dès qu'on bifurque vers l'intérieur des terres par le chemin Chambly, on entre dans des contrées sauvages. Sur des milliers et des milliers de kilomètres se déroule un cycle de fast food, de stations de gaz et de centre d'achats de série B. Les jeunes font des chasses à courre ici avec leur char. Leur but est de foncer le plus vite possible sur les vieux qui s'aventurent à pied.

La rue Saint-Charles traverse la ville des morts et le Champs aux orages avant d'atteindre Varennes. La ville des morts porte un nom de développement domiciliaire. À son entrée les promoteurs ont mis une statue de terrain de golf. Le Champs aux orages de Pratt and Wittney se trouve tout près. Sur des hectares, des capteurs spéciaux attirent sur eux le tonnerre. Quand les capteurs sont chargés, les ingénieurs les récoltent et les posent dans des nacelles sous les avions. Le tonnerre prisonnier des capteurs permet ensuite les décollages et les vols à 0,8 Mach. Plus loin, on atteint Varennes, qui est une ville de la Gaspésie. Tout se passe dans son centre de loisirs, surtout s'il fait froid, un soir de party dans le temps des fêtes.

## Soirée de gala

Miss Verchères fait des études.
Miss Brossard fait la potiche.
Miss Chambly a des faux ongles.
Miss Lemoyne est trop sûre d'elle.
Mais miss Rougemont tu l'écœures pas.
Miss Belœil aime les enfants.
Miss Laprairie a les yeux bleus.
Miss Saint-Luc a un beau chum.
Miss Sorel est fière sur ses talons.
Mais miss Longueuil va la faire tomber.
Les Ours ont massacré les Faucons.
La game ils l'ont même pas gagnée.
Ils voulaient juste qu'il y en aille qui saignent.

Tantôt ils jouent contre les Foreurs.
Là ils vont se faire ramasser.
Miss Saint-Hyacinthe est rendue bien saoule.
Elle a vomi dans sa couronne.
Mais aujourd'hui elle s'en sacre bien.
Elle les a toutes envoyé chier
Parce que c'est elle qui a gagné.
Une gang de motards est dans la ville.
La police est même partie.
Personne d'autre va s'en aller.
Ça sert à rien de barrer ses portes.
À soir tout le monde va y passer.

## Foi

La Carte est le Livre de la Montérégie. Je m'en remets à elle et je parviens à Saint-Jean. Je m'installe dans un café d'où je vois le Richelieu. Je lis le *Canada Français*. La nuit tombe, il se met à neiger. Il va bien me falloir trois heures pour rentrer. La Carte me montre un bon chemin pour retrouver Chambly. Le long du Richelieu, je ne vois plus rien qu'un banc de neige devant moi. Où donc est la route ? Il fait froid à fendre pieds. Voici un dépanneur. J'entre pour me dégeler. Le commis a un chandail du Canadien. Il me suggère qu'un ski-doo serait plus efficace qu'une bicyclette. Je repars. J'ai hâte d'être sur le pont. Je sais que, toutes les fois où je me suis abandonné à la Carte de la Montérégie, j'ai vu la séquence des merveilles qu'elle m'avait annoncée : l'aéroport de Saint-Hubert, les promenades Saint-Bruno, le mont Saint-Hilaire, la Yamaska, Saint-Hyacinthe et même la maison.

## Humilité

Sois humble, ô cycliste ! S'il fait nuit noire, sache renoncer au mètre de chaussée qui te revient sur la droite des routes dont l'accotement n'est pas pavé. Roule sur le gravier loin des automobiles, même s'il faut que tu fasses 15 km dans la poussière sur la 104 entre Saint-Luc et Laprairie, ou 20 km parmi les cailloux sur la 116 entre Rouville et Saint-Bruno. Souviens-toi aussi que personne ne comprend la joie que tu éprouves dans tes tripes en lisant les panneaux verts sur lesquels il est écrit « Côteau-du-Lac 9, Saint-Lazare 17 » ou « Saint-Hubert 9, Montréal 22 ». À Salaberry-de-Valleyfield, contemple devant la cathédrale le beau monument aux zouaves, avec son buste à Pie IX, ses zouaves symétriques qui s'inclinent, ses devises en latin et sa dédicace rendant hommage à la papauté. À Melocheville, mange le pain du pèlerin quand des voyants rouges s'allumeront dans l'ordinateur de bord de ta bicyclette pour t'indiquer que tu as faim. Mange le pain en poutine, lis le journal, reviens à la vie et reprends ta route.

## Le carrefour Laval

Sur les autobus de la STL, une publicité vante Laval comme la ville de vos loisirs. Qui voudrait vraiment avoir ses loisirs à Laval ? Moi, sans doute, qui vois souvent cette publicité sur les routes de Laval où je passe beaucoup de mes temps libres. L'île de Laval ressemble à l'île d'Orléans. Les deux îles se sont développées de la même manière : des villages à intervalles réguliers sur le pourtour de l'île, des terres arables au milieu. La grande différence, c'est que le milieu de l'île de Laval a été transformé en parking.

Au milieu du parking, passe l'autoroute 440. Elle est la plus puissante de toutes les autoroutes, Jourdain et Styx, et de Laval, source de vie et séjour des ombres. Elle est pourtant inconnue dans le vaste monde. Le parcours de la 440 ne déborde nulle part de l'île mystérieuse dont elle irrigue les forces avec ses huit voies et ses quatre bandeaux d'asphalte. À l'orée du grand parc industriel, le boulevard Le Corbusier franchit la 440. Laval est un plat pays. Le viaduc Le Corbusier est son belvédère. On peut y admirer le panorama de la rencontre entre la 440 et l'autoroute 15, l'autre grand axe de l'île aux secrets. Ce carrefour de titans est signalé par un petit bouquet de tours, parées de noms de banques et d'hôtels. Je réalise un rêve : découvrir dans le lointain une clairière inconnue pleine de gratte-ciel.

Une source souterraine jaillit du sol à la rencontre des deux autoroutes, ou bien alors un météorite est tombé du ciel précisément à cet endroit. Un centre commercial gigantesque célèbre le prodige : le Carrefour Laval. Ce centre commercial est une image de la perfection céleste. Dieu nous a irrémédiablement chassés du jardin d'Éden, mais il nous reste le recours de construire le paradis avec des grues et des poutres d'acier. L'œuvre humaine la plus parfaite à ce jour est le Carrefour Laval, et la nouvelle aile en construction est peut-être notre meilleur espoir de surpasser enfin l'œuvre de Dieu.

*Du complexe Desjardins à la rue Saint-Denis*

# La Main

## Le méridien de Montréal

Le boulevard Saint-Laurent est la Main, reine de toutes les rues. C'est à elle qu'il revient de déterminer les points cardinaux. À sa gauche l'ouest, à sa droite, l'est. Malheur au visiteur qui se fierait au soleil pour s'orienter. Autrefois, la Main a été un chemin de campagne. Les plans anciens le montrent commençant au pied des fortifications, sur les rives de la rivière Saint-Martin. Cette rivière charriait les épidémies. On l'a comblée. Le chemin Saint-Laurent a été raccordé aux rues de la ville. La Main est alors devenue la voie de l'expansion. Les adresses de Montréal sont organisées en conséquence. Le chiffre nous indique à quelle distance on se trouve du coin Saint-Laurent – Saint-Laurent, car le 0 des deux axes est fixé au lieu où la Main rencontre le Fleuve. Sur les rues parallèles à la Main, les chiffres racontent de vieilles histoires. Les adresses paires sont du côté ouest des rues. Ce sont elles qui reçoivent le meilleur du soleil. Elles évoquent l'opulence, le pouvoir, la propreté, le culte des apparences, l'entretien du gazon, l'ordre et le mépris. Les adresses impaires sont situées du côté est des rues, celui qui reste à l'ombre. Elles évoquent la décrépitude, les infractions au code de la route, le bien-être social, la loterie, les voyages au Mexique, les salons de bronzage, les combines électorales, les piscines hors-terre et l'odeur des raffineries.

Quand on croise la Main à la hauteur de la rue Sainte-Catherine, une grande pancarte nous annonce qu'on traverse la fameuse ligne de démarcation linguistique. Sur la rive ouest, il est écrit : « *Sie verlassen den Englischen Sektor.* » Sur la rive est, il est écrit : « *Sie tretten den Französischen Sektor ein.* » Autrefois, la division de la ville était beaucoup plus marquée. Aujourd'hui, elle pourrait presque passer inaperçue s'il n'y avait pas cette pancarte. À Montréal, il est possible pour chaque communauté linguistique d'exagérer sa propre importance, et de minimiser l'importance de l'autre.

Quand je traverse le boulevard Saint-Laurent vers l'est, je sens la chaleur du retour au foyer. Quand je le traverse vers l'ouest, j'ouvre des yeux pleins de curiosité. J'aime bien parler l'anglais, langue seconde. J'aime encore davantage le lire. Un été, j'ai fait une immersion à Edmonton. Il faisait très chaud. On a rempli des poubelles avec de l'eau et on a fait une water-fight. Quand les autorités compétentes sont intervenues, un véritable Niagara coulait dans les escaliers. On s'est mis une petite musique disco pour se faire sécher ensuite. Il y a des choses que je ne pourrais pas dire dans une autre langue que le français. Le français a de beaux sons, surtout les seize voyelles. Mes préférées sont le U et les quatre nasales. Le français a, par contre, une grammaire tordue et un système de genres absurde. Mais son pire défaut est la rigidité de la langue écrite. Une rigidité de langue morte. Qui écrit en français se condamne, soit à faire des fautes et à avoir l'air d'un demeuré, soit à ne pas en faire et à avoir l'air précieux.

Les environs du boulevard Saint-Laurent ne sont ni anglais ni français : ils sont cosmopolites. On peut y entendre du tamoul et du cree. Les immigrants empruntent ce chemin pour entrer dans la ville. Chaque peuple y a laissé sa marque. Les plus fameuses sont celles qu'ont laissées les Juifs d'Europe de l'Est. Leurs spécialités culinaires sont devenues les spécialités culinaires de Montréal. Autrefois, le yiddish était la troisième langue de la ville. Mais les Juifs ashkénazes ont été happés par le néant des banlieues et ils parlent aujourd'hui anglais.

Comme elle échappe à l'autorité des institutions françaises et anglaises qui se regardent en chien de faïence, la ligne de démarcation est une zone libre. Les anarchistes, les vendeurs de drogues et les prostituées y ont leur refuge. La gloire équivoque du lieu est puissante. Un bar l'a magnifiée, le Business, qui choisissait ses clients parmi la foule qui attendait dehors. Depuis, un quartier branché s'est développé au coin de la rue Sherbrooke.

## La ligne des parcs

Montréal est contenu au sud de la rue Sherbrooke par une ligne de parcs : Maisonneuve, Lafontaine et le mont Royal. Le parc du Mont-Royal est prolongé vers le centre-ville par le campus de McGill, et loin vers l'ouest par des quartiers résidentiels où chacun a son petit parc privé. D'immenses espaces sont ainsi perdus. Le parc du Mont-Royal et ses annexes privent Montréal d'une haute ville. Quant au parc Lafontaine, il gâche sournoisement le plaisir des gens qui transitent du sud au nord. En bas de Sherbrooke, la dense présence de la ville inspire le marcheur et le cycliste, puis l'espace vide du parc interrompt brutalement les rêveries. Devant cette déchirure, on s'aperçoit avec angoisse que la ville n'est pas éternelle : elle a déjà été un néant semblable à ce parc, il est certain qu'elle y retournera un jour. Heureusement, un corridor de ville perce la ligne des parcs entre le mont Royal et le parc Lafontaine sur un kilomètre et demi : le Plateau Mont-Royal. Le Plateau est comme le Saguenay : un miracle de vie isolé par des arbres innombrables.

## La boudeuse

Le Martin-Pêcheur est un noctambule. Il connaît les meilleures soirées. Il sait quel bar est à la mode maintenant et qui on risque d'y rencontrer. Dans les discothèques, il se fait ami avec les portiers, les DJ et les serveuses. Il entre gratuitement et il laisse son sac de courrier derrière le bar. Les filles qu'il rencontre sont les plus belles et les mieux habillées. Mais les filles qui sortent sont souvent inaccessibles, comme la belle Josée au cœur de pierre.

Josée a des dessous affriolants qu'elle a achetés dans une boutique à Montpellier. Elle a eu des aventures dans son voyage. En revenant, elle s'est promis de recommencer et de montrer ses dessous à quelqu'un qu'elle aimerait. Elle espère faire d'heureuses rencontres dans les bars et les cinq à sept. Mais ses dessous s'usent et se délavent, et Josée ne rencontre personne. Elle vit dans un joli petit appartement sur la rue de l'Esplanade. Elle vient de l'acheter et de le décorer à son goût. Elle ne trouve personne avec qui le partager.

Josée a l'orgueil des âmes blessées. Jamais elle ne drague. Il est hors de question qu'elle essuie un refus. Parfois, elle donne à des hommes la permission de la draguer. Mais ses messages sont rarement compris. Elle met alors sa cuirasse anti-amour et se purge de toute sympathie pour l'indifférent. Les hommes qui prennent l'initiative de la draguer ne l'intéressent jamais. Si un malheureux lui fait des déclarations, elle en fait un bouc émissaire : celui-là paiera pour les autres qui l'ont fait pleurer autrefois, avant qu'elle ne soit devenue si forte. La victime, c'est elle, elle a les privilèges de l'offensée.

Josée est une boudeuse. Elle est prête à payer un juste prix de souffrance pour la souffrance qu'elle inflige. Elle peut opérer son propre cœur à froid et en arracher un morceau atteint par l'amour. Elle respire, haletante, les mains pleines de sang. Elle a cousu la plaie sur sa poitrine. La toilette aussi est pleine de sang. Le morceau de cœur souillé par l'amour s'en va par la chasse d'eau.

## La chasse

Chaque année, pendant quatre jours et trois nuits du mois de septembre, se tient l'heureuse saison de la chasse aux chiens. On entend par la ville claquer les fusils et les pièges. La chasse se déroule selon des règles dictées par la tradition. L'essentiel des prises est fait à l'extérieur, mais les facteurs ont le privilège de pouvoir aller faire des captures dans les appartements. Aucun coup de feu ne peut être tiré à l'intérieur, mais les facteurs ont le droit de se servir du four micro-ondes et des articles de cuisine si, sur les lieux, ils trouvent un chien. Certains chasseurs abattent les chiens au fur et à mesure qu'ils les trouvent. On les appelle les chasseurs sportifs. Des officiels homologuent leurs prises en comptant les carcasses qu'ils ramènent. D'autres chasseurs préfèrent capturer les chiens vivants pour le grand soir de la Fête de la chasse. Ces chasseurs-là sont appelés les trappeurs.

La grande Fête de la chasse se tient au parc Jeanne-Mance. Elle commence au début de l'après-midi alors que des dizaines de feux de joie sont allumés. Des enfants jouent à cache-cache. Ces lieux sont habituellement infestés de chiens, mais au soir de la Fête, les seuls chiens qu'on entend encore sont attachés aux arbres par leurs pattes. Quand le jour commence à décliner, la chasse est déclarée fermée. Un jury décerne des trophées. On bande les yeux des chasseurs lauréats. On leur met un bâton à la main. C'est à eux que revient d'abattre les chiens pendus aux arbres, qui sont frappés longuement pour attendrir leur chair. À la nuit tombée, les cuisiniers ramassent les carcasses et les dépècent. Bientôt est prête la soupe paoshintang à la viande de chien, si fortifiante pour les jours froids et si réjouissante pour l'âme.

Au retour d'un voyage, j'ai fait une réorientation de carrière quand j'ai su que Batman était parti. J'ai été voir une compagnie dont m'avait parlé le Martin-Pêcheur, une compagnie de pros qui couvre un plus large territoire. J'ai été engagé. Il a fallu que je perde les habitudes que j'avais prises avec Batman et que je m'adapte au style d'un nouveau dispatch. Un nouveau lien de loyauté s'est établi. Aujourd'hui, je suis plus heureux : je fais plus de distance.

Il m'arrive de tomber en stand by sur la rue Mont-Royal. Sur l'édifice en face de moi, une pierre gravée dit « 1924 ». Cette année-là, Blanche s'était installée dans le quartier. Elle avait bien appris l'anglais au couvent, puis chez elle avec sa tante revenue des États. Elle travaillait comme sténographe dans un bureau de la rue Saint-Jacques. Elle achetait ses cigarettes Pall Mall dans cet édifice avant d'aller prendre le petit char numéro 23. Quand elle sortait, Blanche utilisait un fume-cigarettes.

L'édifice construit en 1924 a un Blockbuster vidéo et un Monsieur-falafel à son rez-de-chaussée. L'arrière-petite-fille de Blanche regarde dehors par une fenêtre du deuxième étage. Elle se demande comment s'habiller. Elle a déjà mis son petit top sexy qui est du même rouge que mon T-shirt « *cycliste de ville, city biker* ». Cette fille ignore qu'elle a le même sourire que son aïeule. Elle vient de rompre avec Rock, un gars qui avait eu une offre d'emploi à Vancouver. Rock venait de finir de rénover son appartement. Un appartement avec des petits balcons en bois sculpté. Il a été incapable de quitter un logis pareil et il a refusé l'offre de Vancouver. Maintenant, il vit avec une autre fille. Il travaille à Kirkland, qui se trouve déjà bien loin dans l'ouest.

Ma radio sonne. Ordre de départ vers le bas de la ville, avec un stop en chemin pour prendre une enveloppe au 312, Ontario. Dans le temps où Blanche passait sur Saint-Denis dans le tramway 23, le plus célèbre bordel de Montréal logeait au 312, Ontario.

## La complainte du beigne aux confitures

J'étais trop dans le jus pour dîner.
Mais j'ai eu le temps de me ramasser un beigne
Chez un Alsacien sur le Plateau.
Un beau beigne au sucre en poudre
Fourré avec de la confiture.
Je l'ai traîné à la grandeur de la ville dans mes poches.
Rendu sur Marie-Anne, j'ai eu le temps de le croquer.
La confiture est sortie par le mauvais bout.
J'en ai eu pour deux semaines à la voir sécher sur le trottoir,
Chaque fois que je suis repassé par là.

## Lily Saint-Cyr

Entre 1920 et 1950, Montréal était très couru par les amateurs de prostitution. Les autorités militaires s'en plaignaient. Le Red Light district était concentré au coin de la Main et de la Catherine. Le nom de ce carrefour suscite encore des sourires entendus. Le juge Pax Plante a mis la clef dans la porte des bordels en 1954. Le plan Dozois a ensuite été appliqué, qui a consisté à raser le quartier. À la place des bordels démolis, le premier ministre Duplessis a fait construire des HLM de style soviétique. Le surnom la *Catherine* est un clin d'œil aux oubliées et aux maudites qui ont vécu l'exil dans les bordels.

Les légendes du Red Light mêlent les souvenirs de pègre à la nostalgie des folles nuits de l'époque des cabarets. La plus célèbre artiste du Red Light était une danseuse née à Minneapolis, Lily Saint-Cyr. Elle est montée à Montréal pour inventer le strip-tease. Elle donnait un spectacle inoubliable au Gayety Burlesque Theater, construit pour elle et fermé par la police en 1953. Le Gayety était solide. Il est devenu le Théâtre du Nouveau Monde.

## Deux institutions

Le Musée d'art contemporain s'est installé en 1988 à la Place-des-Arts. Cette Place avait été inaugurée en 1960 par des madames d'Outremont en manteau de fourrure. La Place-des-Arts se trouve à l'orée du Red Light. Cet emplacement stratégique a été choisi en 1988 par des conservateurs qui avaient des plans en tête. Le bar les Foufounes Électriques se trouve 300 mètres plus loin, sur un tronçon de la Catherine qui est resté tel qu'au temps des maisons closes. La nuit, des jeunes agités font le party dans la discothèque en haut. Les danseurs sont des frères. Ils se lancent les uns sur les autres.

Les portiers se tiennent prêts à intervenir. Les émissaires du Musée également. Ils choisissent chaque soir des clients des Foufs qu'ils mettent sous hypnose. Au last call, les envoûtés sont conduits par un tunnel jusqu'aux caves du Musée. Les émissaires remettent leurs prises à un mage. Le mage les fait travailler toute la nuit. Il leur fait faire des œuvres. Il leur prend leurs œuvres au lever du jour, puis les libère de leur subjugation. Le Cégep du Vieux-Montréal et l'UQÀM sont de mèche avec le Musée. Parfois, des clients des Foufs sont maintenus en catalepsie pendant trois nuits d'affilée. À leur réveil, ils attribuent leur amnésie à l'opium. Ils ne savent pas ce qu'ils ont produit. Sur un mur du bar, un orignal à ramure de néons a un anneau vert dans le nez. Dans l'escalier, une peinture représente un personnage enfoncé dans une substance jaune. Ces signes de l'activité muséale n'empêchent pas la vie de famille. Chaque soir après le travail, les courriers se retrouvent aux Foufs et partagent de la bière. Les bicyclettes s'accumulent sur les grilles. Les Foufs sont notre salon.

## Les punks

Vers 1993, un commentateur d'une revue de propagande libérale avait prétendu qu'en la radieuse société actuelle, Nelligan n'aurait eu qu'à fréquenter les Foufounes Électriques pour éviter l'étouffement. Cet idéologue tentait d'amalgamer le bar et le poète dans son monde de produits à vendre. Il avait remarqué sur la Catherine des chevelures vertes et des manteaux à clous qui l'avaient conforté dans son sentiment que règne en Occident la tolérance la plus sereine.

Les fugueurs de partout convergent vers le Red Light. Dans les régions et les banlieues, les jeunes se transmettent les codes du punk dans la panoplie standard de la révolte. L'ère punk date d'une croisière sur la Tamise. Cette croisière avait sonné la fin de la déprimante période Woodstock. C'était une croisière-concert, offerte par les Sex Pistols à la reine pour son jubilé de 1977. Ils lui ont chanté qu'elle n'avait pas d'avenir. En même temps, un feu d'artifice faisait luire les beaux dômes de Londres. Près du Palais royal, le Memorial Walkway commémore ces événements.

## La rue Sanguinaire

J'ai une lettre à livrer dans le vieil hôpital. Je roule avec les ambulances. Elles chantent un requiem en se dirigeant vers les urgences. Chacun a droit à cette belle musique de sirènes au moins une fois dans sa vie. Certains y auront droit en partant d'un fossé sur le bord du chemin. D'autres seront cueillis doucement pour quitter la résidence pour personnes âgées. Un jour quelque part, mon tour viendra. Je barre mon vélo près de l'entrée principale. Je cherche mon chemin dans un dédale d'ailes malodorantes et mal organisées. Je dois remettre cette lettre en personne à un médecin.

L'hôpital veut me prendre une partie de mon corps. Il a besoin de pièces de rechange pour les greffes. Il fait ses planchers gluants pour me retenir. Il met sur mon chemin des corridors qui ne mènent nulle part, des ascenseurs qui ne desservent pas tous les étages, des postes de garde fermés pour la pause café, des infirmières qui refusent de prendre la responsabilité d'une enveloppe. Le destinataire de la lettre se trouve dans une chambre pleine de malades, de civières, d'amputés. Devant ses patients, il dit : « Ah ! non, pas une lettre d'avocats. »

Il faut que je ressorte de cet hôpital. Par où suis-je passé ? Ces ouvriers ont l'air d'appartenir au monde extérieur. Je les suis. Ils prennent un ascenseur minuscule et très lent. On se marche sur les pieds. Un ouvrier se tasse. Son confrère lui dit : « Voyons, t'es pas si stuck-up que ça d'habitude. » Les ouvriers rient. La porte s'ouvre. Voici une sortie. Elle donne sur la rue Sanguinaire, loin du stationnement de mon vélo. Mais je suis dehors. Pour cette fois, j'ai réussi à m'échapper de l'hôpital. J'ai encore de la vie devant moi pour découvrir le monde.

*Voyage*

# De Ninive à Babylone

## La Route des Aînés

La rue Notre-Dame est l'ancien chemin du Roy. Elle mène jusqu'à Québec en connectant les villages les uns aux autres sur la rive nord du Fleuve. Ce chemin est le premier rang, le trait d'union entre les concessions les plus anciennes. Les villes et les villages qui le longent sont le pays des aînés, auxquels on léguait les terres.

Quand le premier rang a été complètement loti, il a fallu que des cadets de famille quittent le pays des aînés. Certains se sont établis plus loin dans les terres, sur l'ennuyant rang de Saint-En-Arrière, où les églises sont moins belles et où il n'y a souvent pas de village du tout. Pour avoir une vie sociale décente, les cadets devaient venir veiller sur le premier rang. Si ce sort ne leur plaisait pas, ils pouvaient aller faire pousser des roches sur les lointaines terres de colonisation. Quand ces expatriés redescendaient dans les villes du premier rang, les citadins les traitaient de « colons » pour leur faire sentir qu'ils étaient les derniers des rustres. La colonisation a été voulue par le clergé, pour éviter que le trop-plein de population des vieilles terres ne s'agglutine en ville ou n'émigre aux États-Unis.

Nombreux sont ceux qui ont préféré partir travailler dans les manufactures de la Nouvelle-Angleterre. La Bolduc et les autres artistes passaient par les petits Canada des États-Unis quand ils partaient en tournée. Jusqu'aux années 1950, ils trouvaient un public pour comprendre leurs chansons. À Manchester, de nos jours, on peut voir les enseignes du Gagnon Hardware Store ou du Poisson Mini Mart. Quelques descendants des immigrants prennent des cours au Cercle Molière. Mais pour l'essentiel, les petits Canada sont perdus pour la langue française. Ils symbolisent l'échec de la stratégie de la revanche des berceaux qui était sensée sauver le Canada français par le poids du nombre. Comme on a presque cessé de faire des enfants, il n'y a plus que des aînés aujourd'hui. Dès qu'ils le peuvent, ils vont s'établir dans les grandes villes du premier rang, surtout à Montréal. Dans les plus petits bourgs sur la route des Aînés, les aïeux restent.

## Montréal – Trois-Rivières

Je fais mes adieux au sieur de Maisonneuve sur la place d'Armes, puis je me réchauffe les muscles en sortant de Montréal. Je traverse le pont Le Gardeur par la voie cyclable. Le pont fait une courbe sur le confluent de la rivière des Prairies et de la rivière l'Assomption. Jusqu'à Saint-Sulpice, la route des Aînés ressemble à un débordement de mauvaise ville. Repentigny a disparu dans un trou noir. La vieille église la Purification est noyée dans les parkings des vendeurs de chars. Le pays change à Lavaltrie : voici un village. Il est cossu et sûr de lui. Des adolescents à casquettes traînent près des dépanneurs. Leurs parents les attendent, ils ont intérêt à ne pas trop boire ce soir.

La campagne commence. Sur des terres à haut rendement poussent des produits certifiés biologiques. Des résidants du Plateau Mont-Royal parrainent ces fermes. Ils reçoivent chez eux des primeurs et doivent donner quelques heures de leur temps aux agriculteurs. Ils sont sûrement des bras très inefficaces. Ils font des réunions tous les mois pour se motiver. Ce système s'appelle l'agriculture soutenue par le milieu. À la halte routière après Lanoraie, on peut voir par beau temps le mât du Stade olympique à l'horizon. Mais aujourd'hui il fait mauvais, avec un vent du nord-est contre lequel je me bats pour avancer. Je dois faire au mieux du 15 km/heure. Je fais une pause à Berthier. Ce village est une étape. Le traversier de Sorel accoste tout près. Berthier a une belle place devant son église. À l'intérieur de l'église, un saint massacré à coups de hache est préservé dans une boîte en verre. Ses plaies saignent éternellement, préservées de la décomposition par une relique d'un autre saint très puissant. Une dame pieuse recueille le sang miraculeux.

En aval de Berthier, le Fleuve s'élargit. Ce renflement s'appelle le lac Saint-Pierre. Ses eaux sont peu profondes. Tous les quarts de siècle, elles débordent et envahissent les caves. Les terres riveraines étaient inondables sur une longue distance avant la construction de barrages. Par précaution, les villages ont été construits plus haut dans les terres. Mais un tronçon récent de la route des Aînés évite ce détour en passant au milieu de la plaine du lac Saint-Pierre. Sur ce tronçon, il faut franchir 25 ou 30 km sans croiser de village. C'est le désert de Berthier.

À l'est du désert commence la Mauricie. Je frôle Maskinongé, puis j'entre dans le pays des villages aux briques rouges, Louiseville et Yamachiche. Je prends un repos bien mérité dans un casse-croûte. Je lis là un article menaçant dans *Le Nouvelliste*. Un chanteur de charme fatigant veut à nouveau tenter sa chance. Ne l'avions-nous pas échappé belle ? Le monde ne serait-il pas encore plus pénible si ça avait été lui qui s'était mis à poigner plutôt que l'autre chanteuse ? Encore 24 km avant Trois-Rivières. À Pointe-du-Lac, la route se remet à longer directement le Fleuve. J'entends les vagues qui se fracassent sur les quais. Des vagues avec des moutons d'écume, à cause du nordet qui les fait monter en crème.

## Trois-Rivières

La rentrée à Trois-Rivières est frustrante. Les détours de la route cachent la ville. Seule Saint-Hyacinthe sait bien se donner en spectacle aux cyclistes qui arrivent de l'ouest. La banlieue de Trois-Rivières est une interminable suite de chalets. Je suis fatigué, mais le hasard m'envoie une tape dans le dos : un autobus de ville qui me dépasse. Il est tout rouge, la couleur de la Société des transports de Trois-Rivières. Voici le Coconut Inn et le célèbre pont de Nicolet. Un coup de cœur, il faut encore passer les centres d'achats. J'arrive à un rond-point couvert d'un dais et consacré à la Vierge. J'entre vraiment dans la ville de la poésie et des pâtes à papier. Je crie de joie. Que d'injustes calomnies dit-on de toi, ô belle cité de Trois-Rivières ! Bientôt, je vais pouvoir manger et dormir. Pour me combler, l'auberge de jeunesse donne sur un superbe petit gratte-ciel avec des arches à son rez-de-chaussée.

J'attends deux jours que le nordet tombe. J'en profite pour jouir des attraits de Trois-Rivières. L'édifice Ameau est mon préféré, avec la rue des Forges et la place de l'Hôtel-de-ville. Je fais brûler des herbes avec la madame. Elles masquent l'odeur des usines. On va au ciné-club du Séminaire pour voir un film sur Antonin Artaud. On y rencontre un public surprenant de collégiens bien habillés qui rêvent à des transgressions. Ils vont sûrement partir de Trois-Rivières dès qu'ils le pourront. Ils vont peut-être être déçus par l'Ailleurs ou bien, au contraire, ils vont devenir d'autres Montréalais. La veille de mon départ, je trouve un café Internet sur la rue Saint-Antoine. Un politicien gluant vient déranger les internautes. Il se sert de la préposée pour faire un petit laïus sur la Sillicon Valley. Il veut nous prouver qu'il est un winner. S'il pouvait fermer sa gueule qu'on puisse travailler en paix.

Aux aurores, je franchis le Pont Duplessis. À côté, on voit les ruines du premier pont. Il avait été construit par des amis de l'Union nationale. Ils avaient lésiné sur le béton pour pouvoir donner plus d'argent à la caisse électorale du Chef. Le pont s'est effondré l'hiver suivant. De l'autre côté du delta du Saint-Maurice, on arrive à Cap-de-la-Madeleine, une ville très laide qui abrite un sanctuaire effrayant. Il s'y produit des miracles. Des pèlerins arrivent on ne sait d'où. On dirait une religion exotique, différente de celle qu'on pratique à la cathédrale de Trois-Rivières.

## TROIS-RIVIÈRES – QUÉBEC

Champlain est un village confortable où les capitaines de navires prennent leur retraite. Au bout du vieux quai, on peut regarder une dernière fois Trois-Rivières, avec ses grandes installations portuaires. Sur la rive sud, on voit les terribles structures de la centrale nucléaire de Gentilly. Elles font fuir les promeneurs. Heureuses les villes qui, comme Gentilly, vivent de l'industrie nucléaire. Montréal et Québec vivent du tourisme. Le racolage auquel elles se livrent les entraîne dans la dégradation.

En sortant de Trois-Rivières, la campagne ne recommence vraiment qu'à Batiscan. Deux vieux ponts en fer franchissent des rivières herbeuses. Près de l'un d'eux, je croise un autobus Orléans express. Sa destination est « Trois-Rivières local ». Je lui fais compétition avec ma bicyclette. Aujourd'hui, le vent m'est favorable, je poursuis sans arrêts jusqu'à Sainte-Anne-de-la-Pérade, la capitale de la pêche sur glace.

L'église de Sainte-Anne est inspirée de la basilique Notre-Dame à Montréal. Elle a deux clochers carrés. Son intérieur est entièrement fait de bois. Dans les prochains siècles, le feu emportera peu à peu le patrimoine des aînés. Les colonnes de l'église sont décorées en imitation marbre. Un peintre italien a restauré ce trompe-l'œil au début du vingtième siècle. Il s'est épris d'une fille qui étudiait à la Pérade au couvent des dames de la Congrégation. Une fière fille. Le peintre ressemblait au beau Jean-Baptiste qui se trouve près des cierges. Mais la jeune fille n'a pas voulu de lui. Pour se consoler, le peintre a dessiné le portrait de l'ingrate au sommet d'une colonne. Il a camouflé son visage avec art. Pour entretenir les statues, les paroissiens de Sainte-Anne font à leur église des dons généreux. Mais un bénévole savait imiter la signature du curé. Il s'est fait des chèques. Il a failli ruiner la fabrique. Il a fallu engager des avocats, et trouver un curé plus versé dans les affaires.

Passé Sainte-Anne, une belle pancarte bleue annonce qu'on entre dans la région touristique de Québec. Je pousse un nouveau cri de joie. Le village de Grondines donne pourtant l'impression de trop s'éloigner vers le nord. Le comté de Portneuf est très peu peuplé. Il est recouvert par la forêt laurentienne. Elle est truffée de camps de redressement pour enfants. On les oblige à faire du canot. Malheur à eux s'ils n'apprennent pas à dessiner des J dans l'eau avec leur rame. Cet enfer de verdure me donne le mal de mer. Comment une grande ville peut-elle se trouver par là ? Le Fleuve est pourtant bien visible pour se repérer. Il ressemble à un fjord. À Grondines commencent les falaises riveraines qui rendent Québec inexpugnable.

Sur un piton de falaise se trouve Deschambault, village où séjournent des artistes. Ici, on croirait presque vivre en 1830. Je descends de ma bicyclette. Dans le café Internet on peut lire des revues *in* laissées par des touristes français. Dehors, un chambreur vient me demander de lui donner un coup de main pour son déménagement. Je l'aide à rendre son expulsion effective. Sa logeuse reconnaissante m'invite à boire une coupe de vin. C'est une femme charmante. Elle est peintre. Sa maison est immense, remplie par son œuvre. Il commence à pleuvoir.

Il me reste 60 km à franchir dans Portneuf. Portneuf-Village, Cap-Santé et Donnacona forment le noyau du pays. Donnacona est la première localité industrielle que je croise depuis Cap-de-la-Madeleine. Ce village se paie le luxe d'un élargissement de la route, décoré de feux de circulation et d'une panoplie de fast food. Je n'ai pourtant pas l'impression d'avoir atteint des banlieues. On dirait plutôt un relais routier au milieu du parc de la Vérendrye. Un petit relais. Un découragement me saisit. Heureusement, en haut d'une côte j'aperçois au loin la silhouette des deux ponts de Québec. Je reprends la foi. Voici ensuite Neuville, village façon Nouvelle-France qui est très conscient de représenter la perfection en son genre. Des maisons ancestrales se suivent jusqu'à Saint-Augustin.

L'agglomération de Québec s'annonce. Le premier signe qu'on en voit est une usine appartenant à un champion cycliste. Je porte un imperméable avec son logo. Je quitte le vieux noyau de Saint-Augustin pour couper vers Cap-Rouge. Je cherche un embranchement ancien de la route des Aînés, mais je me perds. Je n'ai pas apporté de carte. Sur la route des Aînés, je roule par cœur. Je retrouve Cap-Rouge et le chemin de la côte de la Rancune. En haut de cette côte, une jeune fille de bonne famille avait été assassinée à l'époque de mon adolescence. On avait cru à l'œuvre d'un individu rôdant à flanc de cap. Pendant plusieurs jours, ma cousine avait vécu dans la terreur, ce qui m'avait beaucoup amusé. Ma cousine est ma plus ancienne ennemie. Je la cultive.

Quand on rentre à Québec par l'ouest, la vue est à peine moins bouchée que lorsqu'on entre à Trois-Rivières. Il faut traverser Sainte-Foy, une banlieue quelconque qui pourrait aussi bien se trouver à la porte de Kansas City ou de Saskatoon. Elle représente pourtant le mode de vie qu'ont choisi les plus privilégiés des habitants de Québec. Je traverse ce lieu désolant en pensant au triste enlisement du destin de ma ville natale.

La route des Aînés parvient à Québec par la porte Saint-Louis. Tout au bout, se trouve la statue de Champlain qui surplombe la falaise du haut de la terrasse Dufferin. Depuis le monument de Maisonneuve, j'ai franchi 75 lieues.

*Québec*

# Le bon vieux temps

## Le Samuel-Holland

Le Samuel-Holland est un complexe immobilier de la meilleure eau. On y trouve des bureaux, des appartements grand luxe et des commerces de standing avec une ambiance sinistre. Le béton gris des tours a une belle austérité et l'ensemble ne manque pas de style. Le meilleur endroit pour le contempler est le terrain du collège des Jésuites, surtout la nuit. De près, le Samuel-Holland cause des corridors de vent sans pitié. Il emporte les piétons sur les trottoirs glacés et les jette par terre en cassant leurs os.

Les appartements du Sam-Hol sont occupés par des personnes très âgées. Vers 1994, une locataire a eu froid une nuit où il faisait – 30°. Elle a allumé son four pour se réchauffer. Le feu a pris à son kimono en polyester. Elle a réussi à composer le 0 pour appeler à l'aide. Quand les pompiers sont arrivés elle était morte et son appartement flambait. Il a fallu évacuer. Vingt-deux étages d'aïeux se sont retrouvés sur le chemin Sainte-Foy à cinq heures du matin, au plus mordant de la nuit d'hiver.

À cinq ans, j'ai été hospitalisé en face pour un mal de ventre psychosomatique. Le Sam-Hol était en construction. Dans ma chambre j'avais des livres d'enfants et une TV. Je ne savais pas lire. À la maternelle on nous faisait perdre notre temps avec des cahiers à colorier.

C'est d'ailleurs peut-être ce qui m'avait rendu malade. Ce que je préférais à la TV, c'était les intermèdes avec des images des gros trucks de la baie James et de la musique électronique. J'ai été torturé dans cet hôpital, mais en vain, personne n'a pu me diagnostiquer.

Mon père a été élevé tout près sur la rue Holland. Grand-Maman avait des hydrangées sur son terrain, une fleur mauve. Le vent faisait un beau bruit dans les feuilles des trembles. Il y avait des odeurs de tuyauterie ancienne dans sa maison et de la suie épaisse accumulée dans l'escalier de la cave. Elle a eu un accident cardiaque. Déjà, elle était tombée quelques mois auparavant. C'était le début de sa fin. Elle est venue vivre chez nous. Ma mère a vidé sa maison. Les souvenirs se sont retrouvés dans des sacs de vidanges. Il fallait être efficace. Grand-Maman s'est éteinte ensuite petit à petit. À la fin, elle était une ombre. Ses funérailles ont eu lieu un peu avant Noël. Je n'ai pas réussi à pleurer et je ne sais plus où est sa tombe. La rue Holland est devenue lisse à cause de l'interdit de commémoration, comme une rue où on n'aurait jamais connu personne. La plupart du temps, mon père ne veut pas que je lui pose de questions sur le passé. Sa méthode pour ne pas écouter est de se laisser absorber par des questions sans importance. J'attire l'attention par des pitreries qui tombent à plat. Je prends les choses avec un grain de sel. Quand j'étais adolescent, je bouillais d'exaspération. Lui aussi. À sa place, je n'aurais pas pu me supporter. Parfois, mon père me fait le cadeau d'un fragment de passé. Il se souvient d'avoir pris le tramway. Pour déglacer les côtes, la compagnie des petits chars utilisait de la cendre.

## Vie de famille

Une année, mes parents ont fait poser des nouvelles tuiles sur le plancher de la cuisine. Les ouvriers ont d'abord enlevé l'ancien revêtement, laissant voir pendant trois jours un sous-plancher sur lequel mon frère et moi avons peint une fresque antique. Elle s'intitule : « Vénus parée par Éros des attributs de la gloire », et comporte des scènes de genre. Babasse a dessiné les personnages, et moi j'ai fait un hippopotame paissant dans le Nil ainsi qu'une trirème remontant l'Oronte. À peine séchée, notre œuvre a été recouverte par des tuiles neuves. Peut-être ornera-t-elle un jour les murs du pavillon Casault à côté des planchers syriens déterrés par l'équipe archéologique de l'Université Laval ?

Un problème rampant qui affecte toutes les couches de la population à Québec est la consommation de télévision effrénée qui y sévit. Mes parents n'y échappent pas. J'étais chez eux une fois et ils se laissaient abrutir tranquillement avec leurs télécommandes à la main. Pour leur bien, j'allais les déranger toutes les cinq minutes. Je me suis fait prendre quand mon père a dit : « Reste, reste, c'est l'annonce qu'ils ont parlé dans le Time. » Sur l'écran il y avait une madame qui parlait avec une voix très éraillée. Elle a dit quelque chose comme : « They didn't tell me that cigarettes were so addictive », puis elle a fumé *par la trachée artère* pour montrer sa trachéotomie. Mon père trouvait que cette horreur était un message efficace.

En 1974, le pylône de l'émetteur de Roc-Trédudon a explosé, privant tout l'ouest de la Bretagne de télévision pendant plusieurs mois. Personne n'a jamais trop su si cette excellente initiative avait vraiment été prise par les autonomistes bretons qui ont revendiqué le fait, ou plutôt par des conscrits qui avaient joué avec des explosifs. Il semble que la période de désintoxication a été pénible, mais assez brève. Ensuite, les gens libérés de leur mauvaise habitude ont repris la vie comme avant la télévision. Ils se sont remis à sortir, à se parler. Pourtant, la TV perdue, c'était l'ORTF de 1974, c'est-à-dire une TV avec des discours plates sur trois postes.

J'ai eu l'occasion d'observer les effets du manque de TV à Saint-Hyacinthe, pendant la tempête de verglas de 1998, après trois semaines sans électricité. J'y étais venu apporter du bois à une sinistrée. Avec des compagnons de route, j'en ai profité pour faire une visite de la ville. Un seul lieu était ouvert dans les rues obscures. Un bar. On y gelait ferme. La génératrice servait à alimenter une TV. Des clients nombreux et bien emmitouflés l'écoutaient dans un silence pesant. Les souffrances de la privation d'images se lisaient dans leurs yeux.

## La grande vie

La petite rue Saint-Amable ressemble à la maquette d'un downtown. Elle a tout ce qu'il faut en miniature, même un courrier cycliste. Il est seul en ville, sans frères d'armes. Les chauffeurs de toutes les espèces peuvent le détester. Les piétons le font sursauter quand il ose passer sur le trottoir. L'été, il fait son chemin dans les hordes de touristes. Les calèches laissent des crottes sur sa route. À la fin de l'après-midi, la Ville lave le dégât. L'eau que les camions répandent fait une bouette glissante. Pire que de la slush.

J'ai connu Julie Kron au cours d'allemand. Elle habitait avec sa mère dans un ancien couvent de la rue Saint-Amable transformé en coopérative d'habitation. Julie avait une longueur d'avance sur moi. Elle avait des attitudes d'adulte et des libertés d'adulte. Elle avait aussi plus de vécu que moi. Le père de Julie était un avocat haïtien que sa mère avait connu en Europe. Il était retourné à Haïti où il avait eu la mauvaise idée de s'occuper de politique. Il avait disparu. La mère de Julie m'impressionnait. Elle était venue de Hollande pour enseigner à l'Université. Elle écrivait des livres qui causaient des débats. Elle m'avait donné un paquet de magazines allemands illustrés qui m'ont fait faire des pas de géant avec leurs publicités faciles à décoder. Peu de temps avant de connaître Julie, j'avais failli me décourager de l'allemand. Il y avait trop de mots à apprendre, et quand je les cherchais dans le dictionnaire, je n'arrivais pas à reconnaître d'emblée les participes passés des autres mots en *GE*. Mon échec le plus cuisant avait été de ne pas comprendre l'accusatif avec Frau Herbst. *Ich esse den Apfel.* Der Apfel *ist rot.* Je repense avec humiliation à l'impatience de

Frau Herbst. Heureusement, j'avais lu *Moi Christiane F., 13 ans, droguée, prostituée...* (*Wir Kinder vom Bahnhof Zoo*), un témoignage choc publié par l'hebdomadaire *Stern* sur les milieux de la drogue à Berlin. J'ai appris dans ce livre des leçons décisives sur le monde. Inspiré par ces leçons, j'ai tenté nombre d'expériences douteuses. Je cherche toujours les personnages de ce livre à travers mes amis. L'ex de Julie lui avait enregistré une cassette de musique. Elle me l'a prêtée. Je l'ai encore. Auparavant, j'enregistrais des « mix commercial ». On entendait par bribes la voix de l'animateur du FM93 qui tenait des propos ridicules entre les chansons de U2. Je me suis mis à cette époque à écouter CKRL, la radio communautaire.

Une journée d'été, Julie m'avait invité à faire de la voile au chalet de son amie Nadia, au lac Saint-Joseph. Nadia était une fille blonde très drôle. Elle était grande et un peu forte. Elle était aussi une vraie gosse de riche. Ses deux parents étaient médecins. À 17 ans, elle avait son char à elle. Un ami de Nadia est venu nous rejoindre. Il s'appelait Sébastien Chicoine et il avait des cheveux très longs qui allaient bien avec son nom. Il habitait avec sa mère lui aussi, sur la rue des Fransiscains. Sa mère avait une boutique de skate. Chicoine avait eu la vie dure. Quand il avait douze ans, sa mère l'avait réveillé la nuit pour se sauver de chez son père à Loretteville. Toutes les affaires qu'ils avaient pu emporter tenaient dans deux sacs en plastique. Chicoine faisait le DJ dans les partys. Julie et moi étions coéquipiers sur notre voilier. Notre plaisir était de distraire l'autre ou de le faire rire pour provoquer des petits naufrages ou des pertes d'homme à la mer. J'ai attrapé un fameux coup de soleil. Le père de Nadia m'a surnommé Ti-Rouge. Le ciel s'est un peu couvert le soir. On marchait nu-pieds dans la boue sur le bord du lac. Des bruits de soupers en plein air et d'enfants qui jouent nous parvenaient des autres chalets. À notre souper barbecue, le père de Nadia nous a fait boire des liqueurs fines. Il a déclaré que c'était bien que les enfants aillent à l'école privée, parce que ça leur enseignait tout de suite les classes sociales.

Les quatre jeunes, on s'est mis à l'écart sous prétexte de ranger nos embarcations. Julie faisait jouer The Smiths dans son walkman. On se passait les écouteurs. L'heure était venue de parler de choses sérieuses : la planification de la soirée au Palazze Klub et au Midnight. Je n'étais pas habitué à tant de désinvolture avec la grande vie.

Je savais depuis longtemps que j'étais fait pour le monde de la nuit. Durant mon enfance, mes oncles allaient à la discothèque Visages, au dernier étage du Hilton, et au Drugstore Livernois, sur la rue Saint-Jean. À la TV, ils avaient parlé d'un nouveau style : le *new wave*. J'avais pressenti l'importance de cette nouvelle. À l'époque où j'écoutais la cassette prêtée par Julie, j'ai lu religieusement le DJ Gengis Dan dans le journal du cinéma Cartier. Il officiait alors à l'Ombre Jaune. Il parlait dans le journal des nouveaux sons qui arrivaient d'Europe.

Avant la soirée du lac Saint-Joseph, j'avais fait une ou deux visites dans des bars. J'avais pu constater que ce serait mieux encore que ce que j'en attendais. Mais à seize ans, j'avais l'air d'en avoir douze, ce qui me compliquait la vie avec les portiers. J'avais réussi une fois à aller avec Mimos au Bizarro, une terrasse couverte sur la Grande-Allée. Il pleuvait à torrents sur la toile. On s'était mis au bar pour parler. On avait eu une impression de vie d'adulte. On était descendus à la Basse-Ville ensuite. Dans une salle de spectacle sous le mail Saint-Roch, la chanteuse Élie Medeiros faisait son numéro. Les habitués de l'Étoile de nuit croyaient qu'ils avaient affaire à une danseuse. Ils lui demandaient d'enlever son haut.

Quelques semaines plus tard, j'avais découvert ma première discothèque. C'était après une autre journée près d'un lac, le lac Saint-Jean, lors d'un voyage pour l'anniversaire de mon arrière-grand-père. Il avait fait une tempête superbe, avec des vagues plus hautes que le quai. Je m'amusais beaucoup dans ces grandes fêtes. Je jouais aux cartes toute la nuit avec mes mononcles. Ils sont presque tous morts aujourd'hui. Ce soir-là mes cousines m'avaient amené dans un lieu éclatant de modernité : le bar Le 25 à Alma. Toutes les virées que j'ai vécues depuis n'ont été que des répétitions de cette nuit-là. La musique qui jouait là était celle dont parlait Gengis Dan. Sur un mur décoré, il était écrit : « *I'm bored, so I fuck my cat.* » J'ai compris que les bars peuvent servir à vivre des expériences culturelles pointues.

Une fois le plan bien établi, Nadia est allée annoncer à son père qu'on partait en ville et qu'elle ne rentrerait pas coucher au lac. Ce bon docteur Desruisseaux avait grande confiance en sa fille. Au volant de sa Honda, Nadia a mis une cassette d'Indochine en proclamant qu'elle était une excellente DJ de char. Elle voulait surtout agacer Julie, qui a protesté à cause des paroles stupides et du drum électronique. On a entendu une chanson sur Bob Morane, une autre sur la sécheresse du Mékong. On est passés chez Chicoine. Sa mère nous aimait bien. Elle s'est mise complice de nos projets. Elle s'est occupée de moi. Elle m'a prêté des vêtements Vision Streetwear noirs pour me « vieillir ». Julie m'a déniché des fausses cartes. Ils avaient déjà tous les trois cet important accessoire. Je savais que j'en n'aurais pas besoin. Je me sentais sage et sûr de moi. Les portiers allaient sûrement trouver que j'avais l'air du Vénérable et me laisser entrer sans contrôle. On a marché jusqu'à la rue Berthelot. Une petite averse nous a permis de fumer un joint sous un kiosque. C'était la communion des amis. Au Midnight, les B-52 sont venus jouer pour nous. Ils ont atterri à l'Ancienne-Lorette en jet privé. La veille, ils étaient au CBGB's.

La meilleure tradition des bars de Québec est préservée au Bon Vieux Temps, une coopérative de travail. Au sous-sol, des cégépiennes habillées en vampire dansent contre le mur. Son barman le plus célèbre s'appelle Régis. Il sait peut-être que je ne connais rien du bon vieux temps, parce que je n'ai jamais connu le Shoe-Clack ni le Cercle Électrique. Je n'ai pas vu non plus Nina Hagen à son concert inoubliable à place d'Youville.

À la fin des nuits de débauche à Québec, une coutume veut qu'on se rende sur la terrasse Dufferin. Les nuits de terrasse Dufferin sont celles qu'on a passées à parler à tout le monde.

Les groupes se sont formés et déformés toute la nuit. À la fermeture des bars, vient l'heure de sonner l'appel de la garde et de rassembler le noyau dur des fidèles. Certains manquent à l'appel pour cause de succès galants, d'autres ont été terrassés par la boisson. À l'appel se manifestent aussi des recrues, qui s'unissent au groupe pour le pèlerinage au soleil levant.

Il faut traverser le Vieux-Québec. Il fait déjà presque clair. Les rues sont désertes. Les oiseaux commencent à chanter. Sur la rue Couillard, on entend une femme jouir. Sur la Terrasse, un vieil homme est accoudé, prêt pour le spectacle. Nous le saluons. Il sourit. Nous entreprenons en titubant l'escalade du sentier de la citadelle. Que de bruit on fait ! On a le rire facile des gens fatigués mais heureux. Les levers de soleil ont lieu sur la façade maritime de Québec. Ils peuvent s'observer au cap au Diable ou sur la Terrasse. Au cap au Diable, on peut voir d'un côté les ponts encore plongés dans l'obscurité, alors que de l'autre, on voit le port déjà éclairé. D'ici en haut de la Citadelle, on a l'île d'Orléans dans une lumière rose. Le vent sent le large. Un navire apparaît dans le chenal. Le bureau de poste, l'évêché et le Séminaire veillent avec nous. Je fixe mes yeux vers l'océan. Je vois les côtes d'Armor et les montagnes du Caucase au loin. Le miracle de la nouvelle journée se produit par là. Orange. Reflété sur le flanc est du complexe G. Effets de lumière. Il est temps d'aller dormir, gavés de sérénité. Voici une journée perdue pour le travail.

## La colère de Pazuzu

Toutes les horloges se sont arrêtées hier à 13 h 57 lorsque Pazuzu, le démon du vent, a commencé une attaque aérienne par des éclairs. Il a ensuite laissé tomber des trombes de pluie sur les grues qui construisent un nouvel hôtel ainsi que sur les vendeurs de macarons du Festival d'été. Le 22e régiment a répliqué au démon par des missiles sol-air qui faisaient un bruit terrible en décollant de la Citadelle. Les fragments des missiles retombaient sur la ville sous forme de grêlons.

## Enfants gâtés

Depuis le Vieux-Port, on voit le contraste entre le Vieux-Québec et la Colline parlementaire. À l'intérieur des remparts, les clochers dessinent dans le ciel une dentelle. À l'extérieur des murs, les tours de la Colline parlementaire ont des antennes sur leurs toits plats. Le Vieux-Québec rappelle la période où l'Église était l'institution la plus importante de la ville. La Colline parlementaire est plutôt le signe de la primauté de l'État. Les fonctionnaires qui ont fait construire les tours ont été formés par des prêtres. Quand l'Église a passé le relais à la nouvelle élite qu'elle avait créée, la Révolution tranquille a eu lieu. Aujourd'hui, les clercs meurent lentement dans des couvents déserts, et les premières cohortes de fonctionnaires arrivent à l'âge de la retraite.

À la plus faste époque du filet social, l'État couvrait les frais dentaires des enfants. Ma mère nous amenait tous les six mois chez le docteur Lauzière. L'hygiéniste dentaire nous faisait d'abord subir l'épreuve du lavement. Elle nous posait une sorte de moule en plastique sur les dents, puis elle nous installait un tube dans la bouche. Elle faisait ensuite circuler un produit écœurant par le tube. Du fluorure. Il ne fallait surtout pas l'avaler. Le produit n'était pas censé suinter dans la bouche, mais il coulait quand même sur la langue. Ce supplice durait une éternité. Si on y survivait, l'hygiéniste nous libérait. Elle enlevait le tube et le moule tout poisseux. On n'avait droit qu'à un verre d'eau pour se rincer. Le lavement nous laissait la mâchoire endolorie, la bouche pâteuse et l'impression de ne plus avoir de dents. On était alors inspectés par le dentiste. Il nous faisait mordre dans un carton pour nous faire passer une radiographie. Il fallait attendre dans l'angoisse le développement du diagnostic. L'ambiance de la salle d'attente était très intense. Ce bureau dentaire était la fine pointe du progrès technique et social. Il n'existait que pour nous. D'ailleurs ma mère connaissait le dentiste personnellement.

Le dentiste Lauzière nous révélait nos résultats. Il avait des gros doigts aux bouts arrondis. Ma sœur était très fière de n'avoir jamais de caries. Elle était une zélée de la brosse à dents. Mon frère, lui, avait des dents pourries. Il avait fallu lui faire un traitement. C'était pitoyable. Moi, j'avais trop de dents. Des dents devenues superflues parce qu'on avait atteint le sommet de l'évolution. Elles servaient aux singes pour déchirer la viande crue. Il fallait les arracher. Un traitement d'orthodontie bon marché. Les séances se sont étalées sur trois ou quatre ans. Le dentiste me gelait avec sa seringue qu'il camouflait dans sa main. Il m'amputait. Quand l'anesthésie cessait d'agir, je pouvais sentir sur ma gencive les points de suture au goût de sang.

Après le dentiste, ma mère nous amenait nous choisir une bande dessinée. Au début, ce système servait à nous récompenser quand on n'avait pas de caries, puis il s'était mis à servir aussi pour me consoler lors des extractions. J'étais choyé et privilégié à juste titre pour les épreuves que je traversais. Je m'apitoyais. Je convoitais les bandes dessinées. Vers mes douze ans, ma mère m'a fait comprendre que j'étais trop douillet.

## Les fenêtres de musée

Les musées de Québec sont conçus pour servir de cadre à une de leurs fenêtres. Chacune de ces fenêtres est un point de vue solennel que le musée jette sur la ville.

Le Musée de la civilisation est un regard sur l'eau. Sa fenêtre donne à voir le Fleuve à l'endroit où les Algonquins remontaient à la fin de leur saison de trappe pour faire des échanges avec les agriculteurs du Haut-Saint-Laurent. Cet endroit est aussi celui où les Français sont arrivés pour fonder une ville le 3 juillet 1608. Les voiles qu'on voit maintenant sont celles des plaisanciers. Elles croisent la traverse de Lévis et gênent les pétroliers qui font la navette entre la raffinerie d'Ultramar et le terminal de Qarg, qui se trouve au-delà du détroit d'Ormuz.

Le Musée du Québec est un regard sur le ciel. Sa fenêtre se trouve en haut de la tourelle de l'ancienne prison. On voit là beaucoup d'étoiles les soirs d'hiver, et l'ancien champ de bataille en contrebas. En 1759, la comète de Halley a annoncé un malheur. À l'été, les Anglais ont bombardé puis pris la ville. À la fin de la guerre, les chancelleries ont fait de cette défaite une conquête. Depuis, le champ de bataille a été pacifié. Des promeneurs passent en ski de fond sur les vallons paysagés. Les édifices de la Grande-Allée encadrent le Claridge, une belle conciergerie art déco. Un vieil homme était resté enfermé dans l'ascenseur du Claridge la nuit de la grande panne de 1988. Cette année-là avait été marquée par des prodiges. Les extraterrestres avaient attaqué Hydro-Québec au moyen de rayons magnétiques émis depuis le soleil. Par une vieille faille de météorite, les extraterrestres avaient également causé un tremblement de terre. Ce séisme avait renversé les étalages d'un Provigo du quartier Limoilou.

Le Musée du Séminaire est conçu pour permettre à Québec de se mirer dans sa propre beauté. Sa fenêtre est gardée par un vieux prêtre qui raconte ses souvenirs sur un écran vidéo. On voit au dehors les majestueux pavillons du Séminaire qui donnent sur une petite rue. En face, un mur courbé enserre les cours de vieilles maisons. Des maisons à toits pointus et à lucarnes innombrables, avec des balcons suspendus et des remises perdues dans le lierre. On dirait un concentré de maisons de ferme montées les unes sur les autres. Les cours ont des petits jardins. Dans l'une d'elles rouille une vieille auto sous une bâche. Elle a abouti là par la porte cochère. Sur un versant des toits, les lucarnes donnent sur la mer, sur l'autre, elles donnent sur le Séminaire.

Quand j'étais cégépien dans ce Séminaire, un célèbre ancien est venu nous raconter qu'autrefois il était interdit en ces murs de faire jouer les Beatles. Sans doute, les bons pères n'aimaient-ils pas les quatre garçons dans le vent. Les abbés corroboraient en tous cas leur bon goût en nous laissant, pour notre part, écouter les Dead Kennedys tant qu'on le voulait. Quelques jours après la visite du vétéran illustre, j'étudiais dans la bibliothèque. Je jouissais intensément de l'édifice où je me trouvais, qui est l'ancien pavillon central de l'Université Laval. Cet édifice bâti en 1852 est la couronne du Vieux-Québec. Cette journée-là, il faisait une lumière d'automne très nette, qui me permettait de contempler à des lieues à la ronde la ville, le Fleuve et les montagnes toutes rouges, bien visibles par les fenêtres de mon beau promontoire. Ivresse de septembre. C'est alors que le Lion blond est passé. Il portait son T-shirt des Dead Kennedys, orné du titre de leur grand succès *Too Drunk to Fuck*, du plus amusant effet dans cette bibliothèque aux moulures sculptées.

## La salle des cartes

En apparence, le centre du pouvoir à Québec se trouve à l'Assemblée nationale. Ses façades sont faites de statues qui célèbrent une épopée des plus brillants exploits. Mais le vrai centre du pouvoir se trouve en face, dans l'édifice du Conseil exécutif. Cet édifice a la forme d'un calorifère. Mais on le surnomme le Bunker à cause de l'ambiance qui régnait à l'époque du premier ministre Bourassa. Au milieu du Bunker se trouve la Soucoupe volante, la salle ovale du Conseil des ministres. Un meuble vissé au plancher de la Soucoupe volante donne accès à la Salle des cartes. Cette Salle est rarement visitée par les ministres. La plupart d'entre eux ignorent son existence. Les plus importants fonctionnaires y ont accès par d'autres portes.

Les édifices de la Colline parlementaire sont reliés entre eux par des tunnels. Ces tunnels sont connectés aux voûtes du Vieux-Québec. Les plus hauts fonctionnaires accèdent à ce réseau par le sous-sol de leurs appartements de fonction dans le Vieux-Québec. Il vont dans leurs caves avec des torches. Il fait sombre et humide. Ils franchissent une porte coupe-feu en fer. Ils rejoignent un corridor en brique construit en même temps que la Citadelle. Ils parviennent enfin dans les tunnels en béton de la Colline parlementaire. Ces tunnels sont blancs, éclairés au néon. Ils donnent mauvaise mine aux grands mandarins qui s'en fichent. Ils se racontent avec mépris que les députés avaient fait repeindre en bleu le salon vert de l'Assemblée nationale. Les élus voulaient mieux paraître pour la télédiffusion des débats. Des commissionnaires circulent jour et nuit dans les tunnels sur des sortes de carts de golf. Ces véhicules servent aussi dans les tunnels de l'Université Laval.

L'ingénieur qui a conçu les carts et dessiné les tunnels s'appelait Longtin. Il avait d'abord exercé son art en construisant un système souterrain entre les pavillons de l'asile Saint-Michel-Archange. Longtin était très ombrageux. À l'asile, il avait des rapports glacés, quoique productifs, avec la supérieure des Sœurs grises. Il avait ensuite été engagé par l'Université Laval. Pour une broutille, il s'était senti insulté par le recteur. Comme vengeance, il avait saboté son propre travail. Il avait connecté les tunnels universitaires avec une antre du Malin. La porte de cette antre se trouve sous le pavillon Félix-Antoine-Savard. On peut y sentir le magma qui bouillone. Les miasmes qui s'en dégagent accumulent des dépôts répugnants. Aujourd'hui, l'Université a sur les bras 16 km de corridors détériorés. L'année de l'inauguration du nouveau campus universitaire, l'ingénieur Longtin avait été engagé par le gouvernement. Le premier ministre Bertrand avait réussi l'exploit de se faire aimer. Les tunnels de la Colline parlementaire sont un chef-d'œuvre. Les ramifications secrètes avec les vieilles catacombes sont insurpassables. Longtin s'était pris à son propre jeu. Il rêvait à ses tunnels. Lui d'habitude si sauvage, il avait entrepris Art Silverman, un cadre de la compagnie immobilière Trizec-Fairview, pour le convaincre d'investir dans un projet d'annexe à la Cité parlementaire. Les deux hommes avaient passé des après-midi à jouer ensemble au golf de Bromont. Ils étaient devenus amis. La fille de Longtin avait fait un voyage avec la fille de Silverman. C'est ainsi que l'ingénieur a réussi à construire la Place-

Québec, avec ses deux gratte-ciel dont un Hilton. Dans le tunnel qui lie la Place-Québec à la Colline parlementaire, on jurerait qu'on entend passer le métro. Longtin aurait peut-être voulu faire un lien ferroviaire avec l'Université, dont il aurait pu corriger les tunnels, mais il est mort avant d'avoir pu mûrir ce projet.

La grande Salle des cartes a été conçue par des éminences grises. Elle contient des ordinateurs qui traitent les données d'un satellite espion. Une immense carte en relief occupe un mur. Tout autour, des télescopes sont installés. Il suffit de les activer et de viser un point sur la carte pour pouvoir observer ce qui se passe dans n'importe quel endroit de la province. En plus du satellite, les ordinateurs de cette salle ont accès à toutes les caméras de surveillance du Québec. Des systèmes spéciaux ont été installés grâce à des complicités à la Régie du bâtiment. Les exécutants du trafiquage des caméras ont été sacrifiés à la raison d'État. On a mêlé les motards à leur disparition. Les plus importants des hauts fonctionnaires ont accès au système de surveillance depuis leur ordinateur personnel. Ils choisissent eux-mêmes leurs collaborateurs et leurs successeurs. Ils laissent les ministres ignorer la vraie étendue de leur pouvoir. Ils savent qu'il faut laisser les élus prendre le moins de décisions possible.

## L'ange de la Liberté

La présence de Miss Québec City se laisse deviner par des bouffées de plaisir. Plus rarement, il arrive que son apparition soit manifeste. L'événement s'est produit le 3 juillet 1985, au jour même de l'anniversaire de la fondation de la ville, alors que Miss Québec City faisait de la planche à voile en costume de bain sur le lac Beauport. En juillet 1830, elle est montée sur les barricades. Elle était une Canadienne errante dans les rues de Paris. L'Histoire l'a ramenée à son destin de Miss quand le peuple a pris les armes contre le roi.

Miss Québec City aime les émeutes près des champs de bataille, les policiers qui lancent des gaz lacrymogènes, les canons à eau qui tirent sur les foules. En dessous de l'autoroute Dufferin, des émeutiers dansent pour Miss Québec City. Ils se sont fait un orchestre avec des bouts de pancartes arrachées. Des natifs de la ville en tenue de camouflage contournent la ligne de front par Saint-Roch, arrivent à la Fourmi Atomik pour prendre des drinks en regardant les effets son et lumière faits par les hélicoptères de la police. Avez-vous vu repasser la black bloc ? Il y pas moyen de revenir vers l'ouest sans refaire le détour par en bas, d'ailleurs c'est là que c'est rendu que ça brasse le plus…

## Dufferin

Le XX^e^ siècle a été marqué par la pulsion de mort. Des tyrans s'y sont enivrés de meurtres. Quant aux villes, elles ont été bombardées ou détruites par des bulldozers. Cette forme de violence ampute les survivants de leur mémoire et permet de mieux les mettre au pas.

Comme Montréal, Québec a été frappé avec une incompréhensible sauvagerie. Le maire s'appelait Maurice Lamontagne. Il était gravement atteint par le mal. Il s'est assouvi pendant quinze ans en toute impunité. Après son règne, un désert de plusieurs hectares trouait la Basse-Ville. Québec a mis plus de temps à se relever de ce sinistre qu'il ne lui en avait fallu pour se reconstruire après les incendies de 1845.

Le maire Lamontagne a fait installer une autoroute sur pilotis pour connecter Beauport à la Haute-Ville. Cet équipement est inutile. Vingt heures sur vingt-quatre, les voies sont désertes. De grands embranchements inachevés finissent en cul-de-sac dans la falaise. Par cynisme, Lamontagne a baptisé cette autoroute « Dufferin », du nom du gouverneur qui avait résisté aux pressions des marchands et refusé la destruction des remparts de Québec. Ironiquement, l'autoroute Dufferin devient une assez belle ruine avec les années. Ses tronçons abandonnés et couverts de mauvaise herbe ne manquent pas de charme. Les grands pylônes réguliers qui la suspendent évoquent le temple de Louxor. Elle fait un toit majestueux à Saint-Roch avec sa colonnade de béton aux chapiteaux papyriformes. Aux soirs de pluie, l'autoroute inspire du recueillement.

Aujourd'hui, Québec n'arrête pas de s'embellir. On la restaure, on installe des nouvelles statues, on rajoute partout des nouvelles plaques commémoratives. Je contribue à cet effort en posant moi aussi des plaques. J'en ai déjà posé plusieurs centaines, qui ne sont visibles qu'à moi-même. Pour les graver profondément dans leur lieu, je récite à haute voix leur texte de souvenirs. Je fais aussi un effort considérable pour effacer certaines plaques. Je veux gratter leur texte du bronze comme on raclait le nez de la statue des pharaons déchus pour les anéantir dans l'au-delà.

## Les regrets

Un édifice abandonné du mail Saint-Roch était une maison de chambres quand l'épidémie de choléra s'y est déclarée en 1832. Le linge des victimes a été laissé en quarantaine dans un grand garde-robe. On a depuis déposé dans cet édifice toutes sortes d'objets qu'on voulait garder pour des études : les effets des victimes des émeutes de la conscription de 1918, le train du père Noël de chez Paquet, des tessons de bouteilles délaissés par les archéologues lors des fouilles de la place Royale. Ces objets sont oubliés. L'édifice est habité par des rats énormes.

Un centre d'art contemporain a aménagé une petite scène pour faire un festival dans cet édifice. Le thème de cette soirée s'intitule « Regrets ». Les rats sont tenus à distance. Le grand public est invité à faire des performances. Il suffit d'inscrire son nom et le titre de sa performance sur un tableau. C'est mon tour. J'ai promis « Amours mortes, performance grammaticale ». Je brûle dans un seau de fer des souvenirs de personnes que je regrette d'avoir aimées. Je me couvre le visage avec la cendre. Je récite et j'explique ensuite une version que j'ai faite d'une phrase d'une rare complexité grammaticale :

*Oecdaš burara niriti evafaka vsu nen risz vë evafaka vë defra.*

Le Centre d'arts contemporains répète son festival avec le même thème au moment de l'enlèvement du toit du mail Saint-Roch. Je refais ma performance pour montrer les progrès que j'ai accomplis. Je montre des photos retouchées. J'y ai fait disparaître toute trace des personnes que je regrette d'avoir aimées. Je brûle néanmoins les photos et je me couvre de leur cendre amère. J'ai fait une nouvelle version de la phrase. Je la lis :

*Ëc nar er niser evafëk vë efavÿ̌k vë pežef.*
Ыс нар ер нишер евафык вы евафјык вы пежъеф.

Je décortique la grammaire de la phrase pour montrer que cette version est meilleure :

ON (nominatif) QUE (accusatif) ÇA (nominatif-subjonctif) QUE-ÇA (génitif-subjonctif) SE PRODUIRE (subjonctif passé) PAS SE PRODUIRE (subjonctif plus-que-parfait) PAS CAUSER-PEUT (mode potentiel)

Je traduis finalement la phrase pour le bénéfice de l'auditoire :

*On ne peut faire que ce qui s'est passé ne se soit pas passé.*

Mais à l'avenir, on ne m'y reprendra plus.

## Comment monter la grosse côte

La plus à pic des côtes qui lient la Basse-Ville à la Haute-Ville de Québec s'appelle la côte du Lourd-Passé. Sa pente commence à la frontière des quartiers Saint-Roch et Saint-Sauveur, et elle aboutit à la frontière des quartiers Saint-

Jean-Baptiste et Montcalm. C'est une côte stratégique. Elle a un double mystérieux qui s'appelle la côte de l'Aqueduc. Si on monte la côte de l'Aqueduc, on aboutit dans un univers parallèle. On y trouvait un bar clandestin, qui s'appelait Chez Gaétane. C'était un faux restaurant. Quand on demandait une « théière » à Gaétane en lui faisant un clin d'œil, elle nous apportait trois gorgées de bière à 4 $. Ce prix permettait de transgresser le last call. À l'étage au-dessus de chez Gaétane, il y avait un piano-bar pour femmes. Alys Roby, la star lobotomisée des années cinquante, allait parfois jouer de ce piano au milieu de la nuit, au grand plaisir des clientes. Un incendie a ravagé tout cet édifice, mais la côte de l'Aqueduc aboutit encore dans un intermonde d'où nul ne revient.

Pour bien monter la côte du Lourd-Passé, il faut regarder défiler les craques dans l'asphalte par terre. C'est un spectacle abstrait. Si on lève la tête vers le mur qu'on est en train d'escalader, on risque de se décourager. La côte se négocie lentement. Si on l'aborde en lion en se fiant à un élan, on s'épuise avant le chemin Sainte-Foy. Il vaut mieux s'arrêter en bas pour bien respirer avant de monter. Après, il faut dépenser ses forces avec parcimonie.

La côte a trois montants, mais la pire partie est le petit raidillon final, où débouchent les rues du quartier Saint-Jean-Baptiste. Les résidants de ces rues considèrent avec raison qu'ils habitent à la Haute-Ville, mais si on abandonne la lutte dans ce quartier, on a raté notre escalade. Le raidillon final a une pente hypocrite. La côte du Lourd-Passé se met à peser douloureusement sur le dos et sur les reins. Le béton du trottoir est découpé en petits rectangles pour épouser le terrain. Un immeuble brun très laid occupe tout le dernier coin de rue. En face, il faut contourner encore un poste de taxis. On est trop fatigué pour bien gérer leurs manœuvres. Mais on est rendu. Voici le chemin Sainte-Foy, presque plat à cette hauteur. Il file vers l'ouest et pourrait bien nous ramener à Montréal.

## *De la rue Sanguinaire à la Place-Dupuis*

# LE QUARTIER LATIN

### LE CARRÉ VIGER

Le Quartier latin est la contrepartie francophone du Golden Square Mile. Son développement date du déménagement hors les murs de la bourgeoisie canadienne-française. Son axe principal est la rue Saint-Denis, où circulait à partir de 1865 un tramway tiré par des chevaux. Les belles familles envoyaient leurs enfants dans les écoles construites au carré Viger et sur la rue Saint-Denis : l'École polytechnique, les HEC, et l'Université Laval, succursale de Montréal.

Le carré Viger est aujourd'hui un lieu ruiné, même si ses monuments sont encore debout. La gare Viger, ce petit Château Frontenac dessiné par Bruce Pierce a perdu ses trains et son lustre. Les grandes écoles et l'Université ont déménagé vers le lointain. Les édifices décrépits sont des coquilles vides. La désertification du carré est causée par les rues Viger et Saint-Antoine, qui longent l'autoroute Ville-Marie et lui servent de voies de service avec des bretelles d'accès qui sont des pièges à piétons. Au-dessus de l'autoroute, des artistes ont commencé en 1981 à emménager un parc audacieux qui est resté inachevé. Aujourd'hui, le carré Viger est une suite d'îlots condamnés qui servent de piquerie, de baisodrome, et de campement des sans-toit.

Les notables ont abandonné le carré Viger vers 1880. En cent vingt ans, ils ont franchi quelques dizaines de kilomètres. À chacune de leurs stations, ils ont construit des quartiers chics : le carré Saint-Louis, puis le boulevard Saint-Joseph, emménagé pour les processions religieuses. De là, leur migration a bifurqué vers Outremont, qui est resté l'emblème de la bourgeoisie. En dernier lieu, les riches francophones se sont installés en banlieue.

Les enfants des banlieusards fuient leur environnement stérilisé. Ils ont de la chance : ils savent qu'ils peuvent redescendre la rue Saint-Denis. Ils sortent un soir et ils sont séduits. Ils viennent s'installer dans un appartement délabré. Ils ont à peine de quoi vivre, mais ils ont des moulures dans leur vestibule. Leur père trouve que ce vieil édifice aux plafonds hauts est un nid à feu avec ses prises électriques découvertes. Les enfants placent un piano dans un coin, à l'endroit même où madame Beaubien avait le sien en 1911. Ils placent aussi dans leurs bibliothèques des livres que leurs parents ne liraient jamais. Chez eux à la maison, il y a des électroménagers.

Les grandes villes vivent du sang de ceux qui vivent dans les limbes : les immigrants récemment arrivés, les banlieusards en rupture de foyer, les aventuriers, les mésadaptés en fuite de leurs villages. Par eux les métropoles rayonnent et se renouvellent. Quand le peuple des limbes réussit ses projets et s'établit, il s'encroûte et perd son énergie. La métropole réclame alors du sang nouveau et exige des anciens vagabonds si confortablement établis de sacrifier leurs enfants et de les laisser redescendre à leur tour la rue Saint-Denis.

## Saint-Denis

La rue Saint-Denis est un terrain de parade. La foule qui remplit les trottoirs en toutes saisons est celle-là même qui a valu à Montréal sa réputation de ville sexy. L'élégance qu'on voit ici consiste à porter des vêtements troués et des cheveux sales. Le style vestimentaire montréalais est servilement imité partout sur terre. Rares sont ceux dans les autres villes qui habitent ces habits avec la grâce voulue. Plus on monte sur la rue Saint-Denis, plus les trous s'espacent dans les vêtements, mais les sourires sont les mêmes du bas au haut de la glorieuse avenue. En descendant la rue Saint-Denis, j'écoute dans mon walkman un mix très usé. Une chanson sur ce mix dit :

*La fille dont tu rêves elle n'existe pas, elle n'existe pas,*

*Tu l'as inventée, tout au fond de ta solitude.*

Une chanson pop que la chanteuse (qui était-ce ?) a dû interpréter au complexe Desjardins.

Sur Saint-Denis, l'école littéraire de Montréal tenait ses réunions. La rue rappelle aussi la bombe automatiste, la Révolution tranquille et la contre-culture. La rue Saint-Denis devait être passionnante à l'époque de la jeunesse de mes parents.

## L'UQÀM

L'ancien Quartier latin a été revivifié en 1967 par la fondation de l'Université du Québec à Montréal, au coin des rues Sainte-Catherine et

Saint-Denis, sur les terres léguées par la famille Papineau. La nouvelle université a été creusée sous la cathédrale Saint-Jacques. Le clocher de ce temple laïque laisse sans voix quand on contemple sa silhouette de fusée intergalactique. Sainte-Catherine est la patronne des philosophes. Par son éloquence inspirée de l'Esprit Saint, elle a converti des sages païens.

L'UQÀM partage avec Concordia l'avantage de n'avoir pas de campus. Le Red Light chevauche le Quartier latin. Les chercheurs croisent des danseuses quand ils sortent de leur bureau. Les campus universitaires sont une abomination. Ils consistent à dissocier l'université de la ville. À Québec, depuis le départ de l'Université Laval, la vieille ville menace de devenir un décor. Au centre-ville, l'Université McGill a été préservée des déménagements. Malheureusement, la Roddick Gate marque une rupture. Au-delà de ses arches la pluralité du centre-ville cesse. Là où une cour de 20 mètres carrés aurait suffi, McGill se perd dans des arpents de pelouse. L'espace a en Amérique une grande valeur symbolique : nulle autre civilisation avant elle n'avait accordé tant d'importance au vide.

De toutes les universités, l'UQÀM a la bibliothèque la plus intéressante. Hubert-Aquin. L'UQÀM a des collections moins abondantes que celles de l'Université de Montréal ou de McGill, mais c'est certainement la bibliothèque Aquin qui a l'ambiance la plus trépidante. C'est aussi la plus commode à utiliser. Sa vertu est la centralisation. Elle facilite le vagabondage entre les disciplines.

## Vie des anciens Romains

Le stand by est l'attente entre deux missions. « Tandis que t'es là, je vas te faire attendre un peu dans l'est d'un coup qu'il y aurait quelque chose qui sorte par là. » Les courriers ne sont pas payés à l'heure, mais à la livraison. Ils vivent l'inquiétude quand ils ont l'impression que le dispatch les a oubliés ou qu'il les boude. Les stand by sont aussi parfois des pauses pour se reposer ou pour profiter de la vie dans un coin surprise de la grande ville.

Je m'installe à la bibliothèque Aquin pour attendre les appels. Je mets du papier journal autour de ma radio pour que la sonnerie ne dérange pas mes voisins lecteurs. Je veux lire sur la vie des habitants de la Rome antique. J'entends élucider le mystères que représentent l'approvisionnement, la salubrité publique et le contrôle des foules d'une ville de deux millions d'habitants, agglutinés dans un espace très restreint, sans transports mécaniques, sans réfrigération fiable, sans antibiotiques ni vaccins, sans imprimerie et sans armes à feu. Je suis déterminé à me consacrer à ce travail, mais je tombe sur les livres de linguistique.

## Le peplerğ

À bicyclette, même quand on est dans le jus, on a le temps de penser. Quand j'ai la joie au cœur, les chansons me collent à la tête. Les jours où je suis de mauvaise humeur, mes récriminations macèrent toute la journée dans leur bouillon fétide. J'ai aussi du temps sur la route pour inventer une fausse langue.

Le peplerğ est une fausse langue d'Europe de l'Est. Il peut s'écrire en alphabet latin ou en alphabet cyrillique. La phonétique du peplerğ est riche en consonnes et pauvre en voyelles. L'accent tonique se place sur l'avant-dernière syllabe des mots, sauf pour les mots composés. Je prononce le peplerğ avec un accent terrible, mais je suis certain qu'un enfant à qui on l'enseignerait le prononcerait à merveille. L'aspect le plus réussi du peplerğ est sa grammaire. Elle repose sur un système à quatorze cas de déclinaisons.

Le vocabulaire du peplerğ provient d'une érosion de mots français, anglais, allemands, latins, etc. qui subissent des dérivations de son et de sens. J'ai démarré la langue à partir de règles de transformations pour chaque voyelle et pour chaque consonne. Le son [K] par exemple devient systématiquement [D]. J'ai emprunté les pronoms de l'allemand, les verbes de l'anglais et les autres mots du français. J'ai transformé ensuite leurs sons. *Route* est devenu *szolit*, avec la désinence du nominatif. *Rêver* est devenu *kcëfes*, avec la désinence de l'infinitif. Il existe aussi un noyau de mots que j'ai inventés spécifiquement pour le peplerğ. Au fur et à mesure que le peplerğ se développe, toutes ses règles se sont compliquées.

Inventer une langue est une tâche infinie. Si efficace que soit la grammaire, il faut des milliers de mots vivants, actifs et bien mémorisés. Chacun de ces mots doit être conforme à la logique de la langue. Pour un mot retenu et productif, quatre ou cinq disparaissent au banc d'essai. Parfois, des mots parfaits émergent, mais ils meurent avant de s'imposer parce que je les oublie. Au stade actuel de son développement, le peplerğ est une langue pauvre. Elle n'a pas de synonymes : un seul mot doit suffire pour exprimer des notions que couvrent des dizaines de mots dans les autres langues que je connais. Le plus difficile est d'associer des connotations aux mots pour créer des nuances de sens.

## Le frère perdu

Les gens qu'on croise dans les tunnels de l'UQÀM ont des regards réfléchis et des mines affairées. Ils ont l'air moins abrutis que les piétons des tunnels à magasins. Je tombe sur Dan. Avant, il traînait en surface avec des aiguilles dans les bras. Il a fait du ménage dans sa vie et il est descendu dans le grand tunnel pour faire un certificat. Mais Dan a perdu son frère Nick l'année passée. Le petit frère mort était le genre de gars qui avait besoin de se faire détester par tout le monde. Pendant son adolescence, il avait exaspéré ses parents. À l'école, il avait sa gang, mais personne ne l'aimait. Il s'imposait. Le seul avec qui il s'entendait un peu, c'était son frère.

Pour changer d'air, Nick était allé faire son cégep à Val d'Or. Il était parti en Abitibi comme on part faire une fugue, sauf que ses parents avaient été bien contents de se débarrasser de lui. Val d'Or l'avait fait vieillir un peu. Il avait sa petite chambre à lui dans les résidences étudiantes. Il s'était même trouvé un groupe métal pour jouer de la guitare. Le groupe était bon et Nick jouait bien. Il était presque devenu populaire. Malheureusement, dans les groupes de musique, il y a toujours de la chicane. Nick trouvait qu'il fallait avoir un son plus industriel et avoir un look moins métal. Les autres musiciens n'étaient pas d'accord. Nick ne savait pas discuter. Il était sûr de connaître la seule manière possible de faire les choses et il avait le don de faire sentir son mépris. Ses compagnons souffraient ensemble la même irritation et ils se liguaient contre leur guitariste.

Le groupe avait connu un vrai triomphe à la finale régionale de cégeps en spectacle. Nick avait réussi à convaincre tout le monde de monter sur scène le corps peint pour la guerre. Pendant trois jours, les quatre musiciens avaient campé, entassés les uns sur les autres dans un centre communautaire à Rouyn. Le bassiste du groupe avait failli se battre avec Nick. Les autres l'en avaient empêché, mais ils avaient envie de frapper sur Nick eux aussi. En revenant de Rouyn, ils avaient dit à Nick d'aller jouer de la guitare avec un autre groupe.

À la fin de la session, Nick était parti pour Montréal. Son plan, c'était de camper chez des chums du cégep en attendant de se trouver une job. À cause de la musique, quelques gars de Val d'Or avaient trouvé ça cool de l'héberger. Chaque fois, Nick leur pompait les énergies, exaspérait leurs blondes, et il finissait par se faire mettre à la porte.

À cette époque-là, Dan était en désintoxication dans un centre dans les Laurentides. Au téléphone, Nick lui disait que tout se passait bien pour lui à Montréal. Dan le croyait à moitié. Nick couchait dans la rue. Il avait des ennemis partout: au Refuge des jeunes, à la Mission Old Brewery, à l'Accueil Bonneau. Les rares fois où il parlait à ses parents, il leur mentait pour avoir de l'argent et il trouvait le moyen d'être désagréable. Nick a été retrouvé mort dans une ruelle du Vieux-Montréal par un gardien de sécurité de *La Presse*. Il avait une grosse bosse sur la tête.

Il n'y a peut-être que Dan qui le regrette. Il a retrouvé une cassette que Nick avait enregistrée quand il pratiquait sa guitare. Seulement des accords de guitare sans la voix perdue du frère mort. Ben se fait jouer cette cassette-là pour se faire pleurer.

## Les trois cathédrales

À chacun des trois réseaux de la ville souterraine correspond une des basiliques qui a servi de siège à l'évêque de Montréal.

Un peu à l'écart du réseau souterrain Place-d'Armes – Place-des-Arts, la plus ancienne est la basilique Notre-Dame. Il est dommage que les tunnels ne l'atteignent pas, et que le métro Place-d'Armes soit inaccessible depuis la place d'Armes. La basilique Notre-Dame a été construite par les Sulpiciens. En 1820, monseigneur Plessis, l'évêque de Québec, a érigé Montréal en diocèse indépendant. Il a envoyé monseigneur Lartigue sur le nouveau trône épiscopal. Mais les Sulpiciens ne voulaient pas d'un évêque. Ils l'ont expulsé de leur basilique. Monseigneur Lartigue s'est réfugié chez les sœurs de l'Hôtel-Dieu, qui lui ont donné du réconfort. Le prélat a eu beaucoup d'ennemis. Le gouverneur anglais s'en méfiait parce qu'il était cousin des Viger et des Papineau, les grandes familles patriotes. Grâce à ces cousins-là, l'évêque a pu construire la deuxième cathédrale, la Saint-Jacques, sur la rue Saint-Denis, qui coiffe aujourd'hui l'UQÀM. Au moment de la rébellion, monseigneur Lartigue a rappelé aux patriotes leurs devoirs d'obéissance aveugle. Il a dû une fois de plus se réfugier à l'Hôtel-Dieu. À la fin de sa vie, il s'est réconcilié avec les Sulpiciens et légué une Église immensément puissante à son successeur, monseigneur Bourget.

Le réseau CN de la ville souterraine est coiffé par la cathédrale Marie-Reine-du-Monde. Ce temple est le symbole de pacte d'alliance entre l'Église et les marchands anglais, ou alors au contraire une affirmation de la prépondérance du catholicisme en plein cœur du Montréal des affaires. Monseigneur Bourget l'a voulue semblable à Saint-Pierre de Rome. Il a envoyé un prêtre au Vatican faire des observations. Ce prêtre a construit une maquette du siège de la papauté. Il a fait naufrage à son retour. Mais il a survécu dans l'eau froide avec sa maquette. Elle a été fidèlement reproduite sur le Dominion Square. De là, l'Église trop forte a mis au pas les Canadiens français.

## Les tunnels de l'UQÀM

Le tunnel de l'UQÀM passe sous la rue Sainte-Catherine et il mène aux portes du carrefour des trois lignes du métro. Le métro est un tapis volant sur pneus, un prodige électrique en mouvement perpétuel. Son odeur est douce. Je m'extasie comme la première fois où je l'ai pris tout enfant. Je me compose un air blasé. Les passagers font leur ballet, trois notes sonnent. Dans quelques minutes, on va être à Henri-Bourassa. Puissent les archéologues de demain apprécier justement cette merveille, si d'aventure ils la déterrent.

On peut sortir de l'UQÀM par la Place-Dupuis. La Place-Dupuis était autrefois les Galeries Dupuis, le grand magasin de l'est de la rue Sainte-Catherine. Il est aujourd'hui le dernier de la série des gratte-ciel qui commence au Westmount Square. Des corridors dangereux restent ouverts tard dans la Place-Dupuis pour qui veut aller dans l'est à pieds secs. Son atrium est orné de plantes en plastique. Il abrite des petits bars louches où l'on peut parier. Dans un comptoir de l'atrium, une vieille femme tente de payer son café avec sa carte de débit. Elle se trompe. Je sors de l'argent pour l'inviter. Mais je reste sans bouger avec mes deux piastres dans mes mains. Je ne trouve pas une bonne manière pour l'aborder. Elle a peut-être envie d'avoir la paix. Elle trouve du cash dans son porte-monnaie. Tant pis pour moi. Elle ne m'apprendra rien sur les Galeries Dupuis.

L'esplanade de la Place-Dupuis sert de terrain de parade pour les gardiens de sécurité de l'UQÀM. Deux fois l'an, le recteur passe en revue ses guerriers en tenue anti-émeute. Leurs boucliers en plastique brillent. L'Université contrôle le quartier. Si un professeur manque de locaux, elle réquisitionne une salle de spectacle ou un bar. Les prostituées et les dealers savent qu'ils ont intérêt à participer à toutes les études sociologiques. Au petit matin, les sans-abri gisent sur l'esplanade dans leurs lits en carton. On dirait des blessés le lendemain d'une bataille.

À une autre sortie du tunnel se trouve le terminus Voyageur. Dans la bibliothèque Aquin les livres et les terminaux Internet ouvrent sur le monde leurs antennes. Depuis le terminus c'est physiquement qu'on peut se rendre n'importe où sur terre, via un autobus. Parfois dans le terminus, les pimps font la course avec les travailleurs de rues pour s'occuper des jeunes en fugue. Y a-t-il aussi quelqu'un pour prendre en charge les petites vieilles qui se sont perdues ? On se sent loin de ces problèmes quand on a le cœur rempli d'excitation par la joie d'un vrai voyage. Affecter un pas pressé pour traverser le terminus procure une grisante impression de départ. Avec la Femme au corps parfait on avait joué une fois à céder à la tentation. Le hasard nous avait guidés dans un bel autobus bleu. On avait apporté des nounours en plastique remplis de jus à la vodka. Le chauffeur avait été bien content de se débarrasser de nous, rendus à Ottawa.

Cette fois-ci, je pars au Saguenay avec Dan Le Loup. En marchant vers le quai 8, il chante que s'il avait les ailes d'un ange, il partirait pour Québec. Après son concert, il s'endort. Les avocates assises à côté de moi me reposent avec leur conversation de femmes bien ajustées à leur monde.

*Saguenay–Lac-Saint-Jean*

# Night life

## Le blues de Chicoutimi

Chicoutimi est une ville punk. Les graffitis l'attestent dans le stationnement à étages de la rue Racine. Cette rue a une courbe qui fait qu'on s'y sent en ville, entouré par des édifices superbes, dont un petit gratte-ciel tout blanc qui a longtemps bravé sans fenêtres le vent d'hiver. L'endroit le plus punk de la rue Racine était L'Express. En 1998, le portier de cet établissement extraordinaire a pris une balle dans une fusillade.

La rue Racine est parfois triste. Sur le trottoir, un guitariste joue *Hélène et le sang,* une chanson des Béruriers Noirs. Il faut qu'il disparaisse à onze heures à cause de son agent de probation. Il me dit : « Imagines-tu un petit gars de vingt-deux ans qui vient me dire que c'est l'heure d'aller me coucher. » Le lendemain, c'est à une madame à la voix maganée que je fais la conversation. Elle revient de voir Laurence Jalbert. Elle me raconte des démêlés pas drôles qu'elle a eus avec une travailleuse sociale : « Imagines-tu, une petite fille de vingt-trois ans qui voulait me dire comment élever mes enfants ? » L'hiver ici, il fait – 40°. La clarté du ciel est la plus parfaite qu'on puisse voir.

## Jonquière

Jonquière est la jumelle de Chicoutimi. De même population et situées à cinq ou six kilomètres l'une de l'autre, les deux voisines sont aussi différentes que possible. Chicoutimi est la capitale régionale. Plus guindée que les autres villes de la région, elle est ornée de monuments civiques, d'un évêché et d'une succursale de l'Université du Québec. En plus, elle est riveraine du Saguenay, ce qui lui assure une façade maritime qui lui donne beaucoup de caractère. Jonquière, au contraire, est une ville industrielle où tout est coupé carré. L'église Saint-Dominique, les tours des résidences du cégep et le quartier planifié d'Arvida présentent un certain intérêt, mais dans l'ensemble la ville est plutôt laide. Elle est par ailleurs enclavée dans un site quelconque. Un peu à l'écart du centre pourtant se trouve un chef-d'œuvre : l'usine de l'Alcan. Ce complexe industriel est vaste comme un quartier. Des centaines de cheminées y lancent des fumées multicolores tandis que des lumières ordonnées et innombrables quadrillent le soir.

Le meilleur du remarquable night life du Saguenay se vit à Jonquière, sur la Saint-Dominique, rue principale survoltée s'il n'en est qu'une. Les plus jeunes ouvriers des usines constituent avec les étudiants en arts et technologie des médias du cégep la faune des nuits. Ici, le style à l'honneur est le dance music, si sous-estimé et si mal aimé, mais dont les siècles à venir sauront sûrement reconnaître la valeur. Les radios commerciales se font pardonner la nuit leur insupportable bavardage de leurs autres heures d'émission en faisant jouer non-stop de ce nectar musical diffusé en direct depuis des bars de banlieue. Aucun de ces bars, cependant, n'arrive à la cheville du Singapour, du Zink ou de L'Audace, les trois grands de la Saint-Do. On y voit des toutes jeunes filles exagérément maquillées. Les émanations toxiques de l'Alcan et de la Consolidated Paper font qu'elles ont toutes les cheveux blonds. Les gars, eux, sont grands et ils ont des cuisses développées par le hockey. Ils ont l'air d'attendre une passe. À Jonquière il y a souvent des batailles, surtout à L'Audace. Ce soir, c'est la soirée strip-quiz. Le strip-quiz est un jeu questionnaire où on gagne des tours de danseuse. Le meilleur pointeur de la soirée a droit à une double danse à dix sur scène, diffusée en gros plan par les écrans géants. Quand Cécile est venue de France, c'est sur un blitz cognac qu'on est tombés. Le cognac est la base de l'économie saguenéenne. Un blitz cognac est une coutume locale : un double cognac pas cher pendant quinze minutes, annoncé par des sirènes d'alarme qui déclenchent une ruée vers les serveuses ultra-sexy.

## Le lac Saint-Jean

Le lac Saint-Jean est une mer intérieure aux eaux remplies de saumons préhistoriques. Le soir, les lumières des centres-villes riverains lui dessinent une côte à la courbe impeccable. On peut faire la tournée des grands ducs avec un canot à rames. Péribonka est un port de pêche miniature où mouillent des bateaux capables d'attraper les ouananiches. À Roberval aussi on sent l'air du large. En plus, on peut voir le beau dôme des Ursulines. D'autres villes se trouvent à l'intérieur des terres sur les grandes rivières qui alimentent le lac. Ces rivières portent des beaux noms innus aux sonorités chuintantes : ashuapmushuan, couchepaganiche, métabétchouan. Les nuits les plus trépidantes se vivent à Dolbeau. Les rues du centre de cette ville sont couvertes par un toit. On se promène d'un bar à l'autre par des corridors. Parmi eux, le Vox Populi a repris du 25 d'Alma le flambeau de la modernité.

## Retour

Dan et moi, on n'a plus d'argent pour revenir en autobus. On a donc dû revenir en limousine, en se servant du système si pratique qu'on utilise sur le boulevard Talbot : signaler sa présence par une pancarte en carton marquée « MTL ».

Le chauffeur de la limousine qui est venue nous prendre était tireur d'élite (*snajper* en serbo-croate). Il nous a raconté des manœuvres qu'il venait de faire dans le cadre d'un programme de l'OTAN. L'armée américaine s'est fait construire une fausse ville dans le nord de l'État de New York pour l'entraînement à la guerre urbaine. Il nous a parlé des heures de plaisir qu'il a eues. Les jeux de guerre urbaine ressemblent au hockey, mais en mieux, parce que le territoire n'est pas une série de lignes abstraites sur la glace. Je le comprends, moi aussi j'aime mieux jouer dans le vrai territoire de la ville.

*De la Place Dupuis*
*jusqu'aux lignes du CP*

# L'Est

## La fin du stand by

Le dispatch a encore engagé trop de rookies. Je suis en stand by dans l'est depuis au moins une heure et demie. J'ai écrit trois cartes postales pour raconter que je suis à Montréal, j'ai lu le *Mirror* au grand complet et j'ai même rêvé à ma sœur. La fille du café fait le ménage autour de moi en m'envoyant des nuages de Windex. J'ai l'air d'un itinérant qui campe là parce qu'elle a le chauffage. J'entends enfin la sonnerie de ma radio. C'est la sonnerie du retour à l'existence. Elle a la voix qui annonce les départs de l'avion pour Byblos, *please proceed to gate number 32*. Je remets ma tuque, j'ajuste mon sac. Il faut que j'aille d'abord au 1400, René-Lévesque Est.

Quand je reçois un ordre de livraison urgent, je me fouette pour rouler vite en disant entre mes dents *go! go! go!* Une syllabe qu'on peut crier de la gorge, efficace pour s'auto-hypnotiser et filer à la vitesse de l'éclair, la sueur aux tempes. Ce faisant, les livraisons urgentes sont un moment privilégié pour tester les postulants peplerks pour couvrir l'idée correspondant au verbe « aller ».

Pendant une longue période, je me suis contenté d'un *zuse* (prononcé approximativement *jouché*, avec l'accent tonique sur la première syllabe), transposition directe de *go*. Ce candidat est insatisfaisant. L'unique syllabe du radical est dissonante. À l'impératif, scander *zuh ?! Zuh ?! Zuh ?!* ne m'excite nullement. Pour les conjugaisons indicatives au singulier, un T de liaison est nécessaire pour éviter des diphtongues (*zutë, zuti, zuta*). Ce postulant inadéquat est disparu du peplerğ.

À la place de *zuse*, j'ai forgé le verbe *itaces*, à partir d'une racine vaguement latine. Les approximations de latin m'ont d'ailleurs permis d'inventer beaucoup de bons mots, dont le verbe *nehaces*, qui est basé sur *faber* et qui signifie *faire*. *Itaces* s'est imposé aussitôt forgé. Il permet un sonore et efficace *itach* à l'impératif, et des conjugaisons nettes *itacë, itaci, itaca, itacpik*, etc.

Le jeu de la langue a laissé émerger un autre postulant pour traduire *go* : *dotes*. *Dotes* vient du mot peplerk qui désigne une bicyclette. J'en ai en fait deux : *bapetëd* (transposition de *cheval*), qui est un mot familier, et *paždotëd* (transposition de *véhicule*), qui est un terme descriptif. Je me suis avisé que la première syllabe de *paždotëd* est presque similaire à *pež*, qui est la particule causale. En allemand, bicyclette se dit *Fahrrad*, ce qui signifie *roue de mouvement*. J'ai pensé qu'un mot qui signifierait *cause de mouvement* serait tout à fait conforme à l'esprit de la langue peplerke. Il me suffisait seulement d'ajuster le *paž* initial pour le transformer en *pež*, puis d'adopter *dot* ailleurs dans le lexique pour exprimer l'idée de mouvement (ainsi *dotëd* : *mouvement*, et *dotes* : *aller*, qui sonne très bien à l'impératif (*doth ?*) et s'achève par une consonne, conformément à la structure de la plupart des radicaux peplerks. J'ai donc maintenant deux synonymes pour traduire le verbe *aller.* J'attends que des nuances de sens différentes collent à chacun d'eux à force d'usage.

Je fais à toute vitesse la run de l'est. Quatre livraisons : Molson, TVA, Radio-Tralala et la SAQ. Je m'avise des liens entre ces quatre entrepreneurs en intoxication. Molson et TVA sont des entreprises complémentaires. Elles abasourdissent les mêmes clients. Même chose pour la SAQ et Radio-Can, qui font dans le haut de gamme.

Je retombe en stand by quelques minutes. Je vais méditer mes observation au musée Dalida, un établissement où on peut voir, entre autres reliques, des lunettes de soleil ayant appartenu à cette star. Je dépense trop d'argent quand je suis en stand by, à boire des cafés et à manger des pâtisseries. Une fois, à cause d'une mission, j'ai dû abandonner un café sur un comptoir dans le Vieux-Montréal. J'ai ramassé la lettre, je l'ai livrée plus loin, puis je suis tombé encore en stand by. Mon café était encore sur le comptoir, tiédi juste à la température qui faisait mon bonheur.

## La madame de la rue Panet

Les anciens faubourgs Québec, Sainte-Marie et Saint-Jacques sont les plus beaux quartiers de Montréal. Mais les triplex et les petites maisons à porte cochère disparaissent lentement au fil des incendies et des démolitions. Comme les autres quartiers de la ville, le faubourg a déjà une vaste zone de désolation : la rue Notre-Dame, qui est sa Terre des Chars. Des dizaines d'usines s'élevaient par là autrefois. Les ruraux venaient y travailler. Ils conservaient leur folklore. La télévision s'est installée parmi eux. Elle a transformé le folklore en culture populaire. Des étoiles filantes fascinent un public avide qui se lasse vite. Les étoiles reviennent une deuxième fois raconter leurs souvenirs ou leur cure de désintoxication, puis elles s'inscrivent sur le trottoir de la rue Alexandre-de-Sève.

La madame de la rue Panet a longtemps travaillé pour la télévision. Sa job était d'être la Montréalaise Ordinaire, à qui on demandait secrètement des avis. Plus elle restait discrète, plus tout le monde était au courant de son métier. Ses voisines étaient jalouses. Elles trouvaient qu'elles étaient typiques elles aussi. La madame de la rue Panet recevait des bonnes gages de Télé-Métropole et de Radio-Canada. Elle a même été engagée quelquefois par des partis politiques. Elle a pris sa retraite en 1984. L'après-midi, elle va en marchette au Jean-Coutu de la rue Sainte-Catherine faire ses courses avec les autres madames. Son mari est mort il y a quelques années. Quand il est tombé malade, ses enfants ont pensé que ça devait sûrement être à cause de son foie. Mais c'étaient plutôt ses poumons qui étaient atteints, à cause de la cigarette. À ses funérailles, les invités se sont souvenus combien il avait été haïssable, mais combien tous l'avaient aimé.

La fille de la madame de la rue Panet ne vient presque plus la voir. Elle vit à Sainte-Thérèse avec son mari et ses deux plus jeunes enfants. Mais Martin, le fils aîné de cette fille sans cœur, est venu vivre à Montréal avec sa grand-mère. Ils s'entendent bien. Ils jouaient au Rumolly ensemble autrefois. La madame de la rue Panet aime bien s'asseoir avec les jeunes dans les partys de famille. Elle s'entend bien aussi avec Frank, l'ami de cœur de Martin, qui est également venu s'installer chez elle temporairement. Ce soir, la madame de la rue Panet s'est mise belle. Elle va rejoindre Martin et Frank au bingo à Mado Lamotte. Mado réserve la place d'honneur à la madame de la rue Panet qui s'en vient appuyée sur sa belle canne.

## Le village gai

Entre la Place-Dupuis et la rue Papineau, la rue Sainte-Catherine est le village gai. Un tel endroit est possible depuis les événements de 1969 à Stonewall, un bar de travestis de New York. Les clients et le personnel de ce bar avaient résisté à une descente. Il y avait eu une émeute. L'idée de revendiquer une identité homosexuelle émergeait. Stonewall est devenu un étendard. Le mouvement gai s'est vite enraciné au Québec. Une concentration d'établissements spécialisés s'est formée autour de la rue Peel. Le maire Drapeau a cependant nettoyé le village de l'ouest avant les Jeux olympiques. Une migration vers l'est a commencé. Le Garage est le lieu emblématique de la période de transition. Ce bar de la rue Mayor était décoré avec des devants de trucks. Sa clientèle a accusé le choc du sida. L'épidémie a forcé la société à connaître la réalité du sexe entre hommes. Des groupes revendiquaient des droits pour les gais et des mesures contre la maladie. Le ton était celui de la colère. Des militants manifestaient leur révolte contre leur condamnation à mort.

Le mouvement gai est aujourd'hui banalisé. Les Montréalais assistent aux défilés de la fierté gaie avec la même curiosité badaude qu'ils réservent aux autres festivités de la belle saison. Ils affichent une tolérance limitée. Quant au village gai, il est devenu le nouveau Red Light de Montréal. Les saunas remplacent les bordels. Sur les scènes, on peut voir des travestis tous les soirs. Le village attire beaucoup de touristes. Des partys gigantesques sont organisés pour eux. Des Américains fortunés viennent dans ces partys pour tester sur leur corps les effets de nouvelles substances chimiques. Des ambulances attendent à la sortie au cas où ces expériences tourneraient mal.

## La panne

Qui a pensé à mettre aux bicyclettes des pneus ? Pourquoi ce point de fragilité inacceptable ? Quand on part, il faut penser à ce qu'on ferait si on avait une crevaison. On ne devrait pas avoir à se préoccuper de ce problème. Je répare la crevaison en dix longues minutes. Je repars. Mais un éclat de verre minuscule logé dans le pneu fait encore crever la chambre à air à la même place dès la première petite pression. Cette crevaison est ma troisième aujourd'hui. Je vais au garage. Le mécano me fait sentir que seuls les cyclistes du dimanche ne font pas par eux-mêmes de telles réparations.

Son garage est pourtant rempli de courriers qui le font vivre tout l'hiver. Mais nous ne sommes pas des vrais clients. On dépend trop de lui. Nos bicyclettes sont sales. On le dérange pour des travaux peu payants. « Dépêche-toi s'il vous plaît, mon dispatch m'attend et moi, j'attends que tu m'arranges ça pour partir d'ici et me sentir encore à Montréal. »

Les courriers ont des théories contradictoires sur les réparations. « Mets pas des slicks en avant l'hiver, tu vas tomber. » « Mets pas de WD-40 là-dessus, tu vas faire corroder ta transmission. » « Mets du WD-40 à la grandeur, tu vas te protéger du calcium. » Il ne faut pas demander de conseils à personne si on tombe en panne, mais apprendre à se débrouiller tout seul en inventant ses propres théories de la réparation. La Ville répand du calcium dans la rue. Les grains craquent sous les roues. Ce soir, c'est certain que les patins de mes freins vont encore être fondus.

## Les squeegees

L'est du Faubourg est écartelé entre plusieurs îlots de ville rendus inaccessibles par des murs de chars dégorgés par le pont Sans-Quartier. Des murs doubles : Papineau – De Lorimier, Iberville – Frontenac, qui drainent un flot de chauffards agressifs vers la vieille rue Ontario, perpétuellement embouteillée. À cause d'eux, cette rue est invivable. Sur ses trottoirs, des guidounes se vendent pour des misères. Dans les petites rues tout autour, beaucoup de gens sortent de prison ou de l'hôpital. Parfois, les résidants étendent des banderoles pour protester contre la prostitution. Les enfants jouent dans la cour avec des seringues et des condoms usagés. Les individus dans leurs véhicules regardent ce cirque. Ils ne se sentent pas concernés. Les squeegees leur font subir un peu de pression. Nuire au trafic automobile est un acte de civisme. Quand un cambrioleur essaie de piller un char, le système d'alarme empêche de dormir ceux qui le pouvaient encore. La catastrophe finale pour ce monde en perdition serait un nouveau pont vers la Rive Sud.

## Le petit baveux

Au fast food 24 heures sur la rue Ontario, deux petits caïds à casquette sont rentrés. On voit tout de suite qu'ils n'ont pas grand chose d'intéressant à faire de leur vie. Ils mesurent six pieds et ils ont des gros muscles travaillés dans des gyms. Ils font tinter leurs clefs de chars et portent leur téléphone cellulaire comme une parure. Le fast food est presque désert. Les deux petits caïds se font servir. Ils décident de s'amuser avec le commis, un petit gars de dix-neuf ans qui passe ses nuits dans le graillon. Son visage est luisant et couvert de boutons. Il porte un uniforme ridicule et un béret orné d'un coq. Les petits caïds lui demandent s'il aime ça travailler chez le Coq. Ils lui demandent combien d'argent il gagne. Le commis ne dit rien et leur donne leur commande. Les petits caïds mettent des cennes noires dans la tasse marquée « pourboires / tips ». Ils font des gestes ironiques de grands seigneurs, puis ils s'installent au comptoir. Ils appellent le commis « ti-gars ». « Eille, ti-gars, t'as-tu une blonde ? » Le commis continue de ne rien dire. Les deux petits caïds rient gras. « Non mais pas de farce, tu dois avoir pas mal de filles qui viennent te voir icitte. Mais peut-être que t'aimes pas ça ? Peut-être que t'es gai ? » Leur ton est une parodie du ton de l'amitié. Les quelques clients qui sont dans le fast food regardent dans le fond de leur tasse de café en styrofoam. Il y en a un qui se lève. Un petit avec un regard dur. Il se plante au comptoir et il dit : « Eille, c'est quand que vous allez la fermer votre gueule ? » Les deux petits caïds n'en reviennent pas. Ils lèvent lentement leur chair gonflée aux stéroïdes. Ils regardent de haut le baveux. Ils l'écrasent presque : « C'est quoi ton problème, toé ? » Le petit baveux les regarde dans les yeux. Il leur met le doigt sur les pectoraux : « C'est peut-être ben dur des gros muscles, mais une balle ça passe quand même à travers. » Les deux dégonflés décident de partir du fast food 24 heures. Le petit baveux faisait peut-être rien que bluffer.

## Réconfort

Il a plu sans arrêt aujourd'hui. Une pluie froide qui transperçait les imperméables, ou bien, à certaines heures, du verglas qui faisait des croûtes sur le banc du vélo. Je roule un bout sur la rue Sherbrooke avec Fred. On est mouillés tous les deux jusqu'au fond de nos bobettes. On a froid, on a faim, on est écœurés. Je laisse

Fred à Fullum pour descendre vers chez nous. J'en ai moins loin que lui à faire avant de pouvoir prendre mon bain. Lui, il faut qu'il roule jusqu'à ville d'Anjou. Plus il roule vers l'est, plus le monde conduit en sauvage. Il se fait arroser encore quatre ou cinq fois. Au coin Cadillac, la lumière est rouge. Une mini van s'arrête à côté de lui. Elle a des vitres teintées. Une fenêtre s'ouvre. Dans la mini van, il y a deux pitounes. Le genre à Fred : une Chinoise et une brune, menues avec des petits seins. La brune fait un beau sourire à Fred : « Tu t'en vas où comme ça, mon grand ? On pourrait peut-être te faire un lift ? » Fred n'a pas beaucoup d'expérience de vie. Il ne sait pas encore qu'il vaut toujours mieux prendre son bain seul. Dans le bain, je me souviens d'une phrase de madame Singh : « Suis la direction de la rue Sainte-Catherine, va vers l'est. Suis aussi les eaux sur le Fleuve et porte ton regard au-delà des mers. »

# Détournements

## Tour d'avion

Le pilote est arrivé en retard à Dorval à cause de son taxi qui a été pris dans un embouteillage. Mais ce héros de l'aviation moderne a quand même réussi à s'installer à temps dans son cubicule à l'avant de l'avion. Il a mis le CD « vol transatlantique » dans l'ordinateur de son poste de travail. Le décollage s'est déclenché. La machine a fait jouer l'enregistrement qui dit : « *Ze captain Bidochon wishes you a pleasant trip over ze ocean.* » Le pilote a commencé comme à son habitude à bavarder avec son copilote près de la machine à café. D'autres collègues sont venus échanger des potins. Le capitaine Bidochon a beaucoup bu, la veille, au bar de l'hôtel du Parc. Il s'est entendu avec le copilote pour pouvoir dormir durant sa pause. Ce copilote est un vrai pote : il va laisser dormir Bidochon pendant quatre heures.

Voici le seuil qui apparaît dans les nuages. On y touche. Nous voici sur le sol Europe. L'avion fait du taxi sur les pistes. Des petits lapins nous regardent passer.

Notre avion est un Airmet CDG Edition, spécialement conçu pour l'aéroport Charles-de-Gaulle. Il entre dans le hangar des douanes. À l'intérieur, une machine qui fait un bruit de lave-auto commence à tourner. Un agent d'immigration passe dans les allées pour étamper nos passeports. Il fait ses plus beaux sourires aux ressortissants de l'Union européenne. Pendant ces formalités, la machine enlève les ailes, la cabine de pilotage et les autres composants modulaires de l'avion. Tout le monde se lève. Des préposés nous donnent nos bagages et enlèvent les housses des sièges. En dessous des housses, il y a des bancs en plastique. La carlingue de l'avion est placée sur son support à roues magnétiques. Deux autres avions sont raccordés au nôtre : un de Royal Air Cambodge et un de Polskie Linie Lotnicze. Dans quelques minutes, les trois avions assemblés vont sortir du hangar par des rails et devenir une rame de métro ordinaire sur la ligne A du Réseau express régional. À côté de nous, une autre rame est disloquée et montée en avions, qui vont pouvoir décoller vers le lointain. Pour les vols intérieurs, des plus petits Airmets peuvent se transformer en VAL, les métros automatiques qui circulent sous les villes de province. AirMets, AirVals, et même AirTrams pour voler jusqu'à Orléans ou Strasbourg. Ce système est très au point. Une rame de métro arrive et part chaque deux minutes. Trente-cinq mille personnes transitent chaque jour par cet aéroport.

Parfois, les choses se passent mal. Sur la piste, il y avait trop de trafic, hier. L'équipage d'un Short 32 de FedEx s'est impatienté sur un bout de piste qui avait l'air vide. Le pilote s'est mis sans permission en position de décoller pour Luton.

Luton glouton.

Luton - Stanstead - Heathrow - Gatwick

Le Short s'est fait ramasser par l'aile d'un MD-83 espagnol. Un MD juste sur le point de quitter le sol. Il roulait à 240 km/h. La tour a dit

« *brake, brake* ». La piste 27 de CDG fait 3 600 m. Les Espagnols ont réussi à s'arrêter. Avec son aile brisée, le MD se serait planté tout de suite s'il avait levé de terre.

Il y aurait eu cent cinquante morts sur Mitry-Mory, Villepinte, Tremblay-lès-Gonesses, ou sur le parking de CDG.

Est-ce qu'ils ont eu le temps de comprendre les passagers du MD qu'ils ne reverraient peut-être jamais Madrid ? Ils ont sûrement senti l'impact avec le Short, et le freinage a dû être brutal. Ils ont peut-être vécu une angoisse de quelques secondes. L'angoisse des accidents d'avion, où on a l'impression atroce que notre sort échappe complètement à notre contrôle.

## Le totem

Paris est organisé en cercles concentriques. Au point central des cercles se trouve un totem : l'obélisque de la place de la Concorde. Un totem en pierre qui a été sculpté pour Ramsès II. Il rappelle les victoires des légions du dieu Ptah. Il capte les énergies du cosmos et les redistribue à la ronde. Autour du totem, six statues canalisent l'énergie cosmique vers six villes de France. Un malheur survient si on perturbe l'équilibre du cercle. Un jour les Prussiens ont pris l'Alsace. On a alors mis un crêpe sur la statue de Strasbourg. Ce crêpe est la cause de la Première Guerre mondiale, qui est à son tour la cause de la Deuxième Guerre mondiale. À Rome, un monument aussi inexorable capte l'esprit des fleuves. Chacun des cercles de Paris est marqué par un boulevard qui suit le tracé d'anciennes fortifications. Les Champs-Élysées lient tous les boulevards vers l'ouest. À chaque endroit où cette avenue franchit un boulevard, les architectes ont construit un monument : le Louvre, les Arcs, l'Obélisque et la Grande Arche, qui est bâtie sur une esplanade de gratte-ciel qui s'appelle la Défense. Les Champs-Élysées sont en construction depuis quatre cents ans, et ses derniers développements sont aussi époustouflants que les anciens. Les architectes d'aujourd'hui ont fait leur part du grand projet et passé le relais à leurs coéquipiers des prochains siècles.

## Épopée

Un demi-siècle de paix est une rare anomalie. Elle a permis à ceux qui en jouissent d'atteindre une prospérité jamais vue. La jubilation du départ au combat a été remplacée par la jubilation de la danse. Pour un temps, l'orgie remplace le meurtre.

Mais un groupe prononça un serment de conquête : Andromeda, Salomé, Flavia et Octavia, la seule vraie femme de ce groupe qui était fière de devoir son sexe à la chirurgie. Cette coterie sans égale connaissait des secrets. Elle s'empara du pouvoir. Leur tyrannie ne manqua pas d'être d'une grande cruauté. L'armée devint prostitutive, et c'est sur le trottoir que les appelés durent remplir leurs obligations. Le commandement était assuré par des Grands-Maqueraux, ce grade étant le gage d'une orgueilleuse prospérité. Les cartomanciennes prédirent les utopies les plus radieuses et l'aboutissement de l'histoire à une société dont chaque membre aurait été sur le trottoir à un moment ou à un autre de sa vie. En attendant, dirent-elles, il faudrait supporter l'étape transitoire de la dictature du proxénétisme.

Les fêtes suivirent les fêtes. Les grands du régime aimaient se produire dans de fastueux spectacles, avec force plumes et fumées multicolores. Malheureusement, ces prestations sophistiquées servirent d'occasion à leurs vedettes pour lancer des traits malicieux, qui écorchèrent leurs victimes et les assoiffèrent de vengeance. La vanité et la mesquine jalousie, qui rendent putrides les aspirations les plus éthérées, attaquèrent peu à peu la redoutable cohésion des reines. Une nuit où on recevait des ambassadeurs, on but trop, on fut malade. Andromeda se moqua de Salomé. Des paroles irréparables furent prononcées.

Les guerres civiles sont les plus atroces. Des poisons furent versés dans des verres trompeusement fraternels. Le massacre de la place Vendôme acheva de dissiper les alliances. On garde de cet épisode une peinture où on voit un amas de chairs informes parmi les joyaux oubliés lors du pillage des diamantaires. Tous les membres de la coterie royale périrent affreusement défigurés.

Le chaos était tel que les Scythes jugèrent l'Europe mûre pour une conquête. Pourtant, l'exemple des reines avait suscité de l'émulation. La menace étrangère accéléra un processus de reconstitution de l'armée, sous le commandement du groupe dit des Héritières. On livra quelques batailles. L'invasion fut repoussée.

Les institutions fondées par les reines ont presque toutes survécu. La tiare en faux feutre est l'emblème de la restauration du régime. Une prophétie circule, selon laquelle un sauveur viendra établir l'âge d'or et un directoire de véritables grandes dames. Ce messie pourra, semble-t-il, être reconnu à l'éclat de son épée écarlate et flamboyante.

## Cinéma

Le cinéma UGC Madeleine est situé juste au-dessus d'une ligne de métro construite à fleur de terre. Toutes les quatre minutes, il y a un vacarme tel qu'on a du mal à entendre l'actrice dire ses niaiseries. Le bruit venant de sous la terre est l'appel du grand large. Il est bien plus amusant de faire un tour de métro que d'aller voir un film.

## Rome

Dans sa fuite, le leader indépendantiste kurde Abdullah Öcalam est passé par l'Italie, où il a demandé l'asile politique. La Turquie s'est aussitôt mise à faire des pressions sur toute l'Union européenne. En plus, les turbulents groupes kurdes qui causent déjà tant de maux de tête aux autorités en Allemagne et en Hollande menaçaient de rappliquer dans la péninsule. L'Italie était dans l'eau chaude. Le ministre de l'Intérieur a alors décidé de prendre une mesure ferme : il a interdit à Öcalam de sortir de Rome. Être prisonnier de Rome…

Quelle était la limite du confinement ? le sillon tracé par les bœufs sacrés de Romulus ?

## Medjugorge

Quand une commission d'enquête épiscopale rend son verdict sur une apparition mariale alléguée (une *mariphanie*), elle peut la désavouer de deux manières. Elle peut d'abord prononcer un *non-constat de surnaturalité*, par lequel l'Église refuse de consacrer une apparition mais laisse le dossier ouvert. Pour sa part, le *constat de non-surnaturalité* est définitif. Par lui, l'Église statue irrévocablement que l'apparition est fausse.

Ainsi, les apparitions mariales de Medjugorje ne sont pas authentiques. Il a fallu le courage de l'évêque Denić de Mostar pour que la vérité soit établie. Ce prélat a dû s'opposer à toutes sortes de pressions. Les Croates se rengorgeaient de ce que la Vierge les avait choisis. Monseigneur Denić a aussi eu contre lui une clique conservatrice menée par l'évêque de Nantes, qui a fait campagne pour que les apparitions soient vraies. Il a fallu trois commissions d'enquête épiscopales et trois rapports négatifs, en 1984, 1987 et 1991, pour que Mgr Denić parvienne à faire valoir son point de vue jusqu'à Rome.

Les apparitions de Fatima et de Lourdes sont pour leur part reconnues, comme d'autres plus anciennes, alors qu'on atteste que la Vierge est apparue sur des champs de bataille.

Un jour, j'ai lu avec mon frère un livre sur Berlin en 1925. Le dadaïsme et l'expressionnisme nous ont séduits. Mon frère admirait George Grosz, à qui on a fait un procès pour mauvais goût. Cet artiste avait représenté les élites de la République de Weimar avec des cacas dans la tête. Moi, c'est l'ironie du dessin intitulé *Schönheit, Dich will ich preisen* (Beauté, je veux te célébrer) qui me comblait de ravissement. Mon frère est l'Oberdada. Moi, je suis gâté par le pompiérisme. D'ailleurs, je trouve le Reichstag très beau, de même que la Fernsehturm, la grande tour de la TV construite pour montrer le dynamisme technologique du bloc de l'Est. J'aime aussi le Palast der Republik, le parlement de l'ancienne RDA. Cet édifice ressemble au ministère du Revenu à la pointe de Cap-Rouge.

Dans une salle de la bibliothèque municipale de Québec, il y avait un mur avec des affiches représentant, en une série de dessins très précis, les étapes de l'évolution d'une ville depuis l'antiquité jusqu'aux années 1980. Ces dessins me passionnaient, mais un détail m'agaçait : la dernière image représentait la ville contemporaine, mais le paysage était méconnaissable, quelques repères à peine arrimaient la scène de 1980 avec celles des autres époques. Or dans mon idée, en Europe le passé devait être le cadre de la vie présente. Il me manquait en fait un élément d'explication capital. Ces affiches pédagogiques étaient allemandes, et j'ignorais encore tout des bombardements aériens. Entre les deux dernières affiches, les Allemands se sont trouvés dans un monde de ruines.

Berlin est une ville d'automne, quand il fait sombre et que les feuilles sont tombées. D'ailleurs tout s'y passe le 9 novembre. La première fois, c'était en 1918, deux jours avant la fin de la Première Guerre, quand l'Allemagne a failli devenir bolchévique. Les restants de l'armée ont écrasé la révolution qui commençait. Lieber tod als rot.

Les prochains 9 novembre sont ceux des fascistes. 1923 et 1938. Leur idéologie sacrilège était fondée sur le principe de la sélection naturelle. Une crise économique a failli la faire triompher dès 1923, quand l'Allemagne a cessé de payer ses réparations de guerre. La monnaie s'est effondrée. Pour payer un morceau de pain, il fallait apporter une pleine brouette de billets de banque. Les fascistes ont tenté un coup d'État le 9 novembre. Mais les choses se sont arrangées quand le chancelier Streseman a introduit une nouvelle monnaie. Berlin est devenue pendant six ans la métropole de toutes les avant-gardes. Une autre crise économique a permis aux fascistes de prendre le pouvoir. Des mesures de persécution ont été aussitôt instaurées contre les Juifs. La violence a commencé le 9 novembre 1938. Un jeune Juif polonais avait assassiné le secrétaire de l'ambassade allemande à Paris. Pour « punir » les Juifs, les chemises brunes ont fait une nuit de destruction partout en Allemagne.

Après douxe ans de crimes innommables, Berlin a été divisé et livré aux communistes. Le communisme disait avoir découvert les lois de l'Histoire. Le 9 novembre 1989, le ministre

Schabowsky a mis fin à cette expérience. Le Mur est tombé. Le Sénat de Berlin a accordé une allocation de 100 marks à chaque visiteur de l'Est pour qu'il puisse s'acheter des gadgets. Le capitalisme triomphait. Son principe de base est la loi du marché, qui stipule que le prix détermine la valeur de toute chose. Le capitalisme a inventé le moyen de propagande pour faire exercer par des spécialistes du bavardage un contrôle très strict sur la pensée. Ce moyen se nomme la liberté de presse.

### Beruhigung

*Ich wohne schon seit 25 Jahre in Düsseldorf. Am Anfang habe ich viele Einsamkeit erlebt. Und auch Armut, als ich meinen ersten Job verloren habe. Das war ein schlechter Job in einer stinkenden Fabrik. Ein Job, den nur Gastarbeiter nehmen wollten. Ohne den war ich aber hilflos. Ich hatte sowieso fast alle Beziehungen mit meinen Verwandten unterbrochen. Ich hatte meine Mutter schon lange an Krebs verloren und ich war tief sauer gegen den Rest meiner Familie. Ich wollte selbst nich gehollfen werden, von der zahlreichen türkischen Gemeinschaft, die im Ruhrgebiet schon bequem angesiedelt war. Ich fühlte mich viel mehr als ein Exilierter statt als eines Einwanderers, und ich wollte mich in niemanden verlassen. Ich habe einen noch schlimmeren Job gefunden, die mir mehr Zeit für mich gelassen hat. Ich habe langsam ein Studium an der technischen Universität absolviert. Das war die Wende meines Lebens. Ich arbeite jetzt als Ingenieur. Ich habe Freunde, einen ganzen sozialen Kreis. Ich war vor ein Paar Jahre verheiratet. Ich bin aber im Moment von meiner Frau getrennt. Wir haben keine Kinder. Wir sprechen noch oft zusammen. Ich habe eine schöne Wohnung und ich reise so oft wie ich es mag. Ich habe ein ganz unabhängiges Leben, das nichts mit meiner Vergangenheit zu tun hat. Ich bin ein glücklicher Mann.*

*Im April des letzten Jahres habe ich einen Brief von meinem Bruder gekriegt. Ich weiß es noch gar nicht, wie er meine Adresse gefunden hat. Er hat mir geschrieben, daß der Vater krank sei. Ich solle mich beeilen, um ihn ein letzes mal sprechen zu können. Ohne zuviel zu denken, bin ich nach Izmit geflogen. Ich war bei meinem Vater kaum früh genug, so daß wir voneinander Abschied nehmen konnten. Er starb kurz danach. Es war als ob er auf mich gewartet hätte. Bei der Begrabung habe ich mit der Familie die Verbindung wieder aufgenommen. Ich war überascht mit ihnen sprechen zu können. Ich hatte gedacht, daß ich die Muttersprache sogar fast verloren hatte. Ich habe meinem Bruder alles verziehen. Und er hat auch mir alles verziehen. Am Ende meiner Reise haben wir Kavli in einem Café bei dem Meer gespielt. Hinter uns ist die Sonne untergegangen. Ich fühlte mich, als ob ich lange geweint hätte, und ich die Ruhe wieder gefunden habe. Ich konnte zurück nach Hause fliegen und sie alles genau vergessen.*

# VAUDOU

J'ai été possédé par un esprit : celui d'un Airbus A310-203 de Türk Hava Yollari / Turkish Airlines, faisant une liaison entre Antalya et Berlin. J'ai décollé de l'aéroport Istasyon Basmudurlugu avec à bord cent soixante passagers, surtout des vacanciers allemands et danois revenant de la riviera turque. Quelques-uns de mes passagers turcs avaient fait le chemin inverse deux ou trois semaines auparavant, les bras chargés de cadeaux. Les Allemands, eux, revenaient chez eux avec des souvenirs. Turkish Airlines offre des vols très bon marché durant la morte saison. En atterrissant à Schönefeld plutôt qu'à Tegel, les coûts sont réduits. Beaucoup de passagers à mon bord devaient poursuivre leur route vers Düsseldorf ou Copenhague avec Condor Flugdienst et Maersk Charter Services.

D'une traite, j'ai survolé l'Anatolie et la mer de Marmara, puis je suis monté à 11 000 m pour traverser les Balkans. J'ai croisé un Boeing 767 de KLM en route entre Amsterdam-Schiphol et Kiev, puis un 737-400 de Málev/ Hungarian Airlines en finale vers Thessalonique. Au-dessus de la Macédoine, quelques passagers ont vu des F-16 américains faire des manœuvres.

J'ai commencé à descendre à travers des nuages épais au-dessus des monts Tatras. Il pleuvait beaucoup quand les pirates de l'air ont sorti leurs grenades et réclamé qu'on m'atterrisse à Helsinki. Ces pirates étaient des Biélorusses en délicatesse avec le tyran Loukatchenko. J'ai repris de l'altitude au nord du Brandebourg et viré vers le nord-est. Une cellule de crise a été installée à l'aéroport Kemal-Atatürk d'Istanbul. Les officiers du ministère de l'Intérieur turc se sont demandés pourquoi ces pirates-là, qui n'étaient ni des Kurdes ni des Arméniens, ne s'attaquaient pas plutôt à un avion d'Aeroflot.

Au-dessus de la Lettonie, ça c'est corsé. Deux intercepteurs m'ont pris en chasse et sommé d'atterrir. Des Mig-29, comme ceux qui avaient abattu le 747 coréen en 1983. Tout le monde à bord s'est mis à avoir très peur. Les pirates ont parlé en russe avec les Lettons et ils ont convenu d'un atterrissage à Riga. Il a fallu faire une descente dangereusement rapide. Quand je suis sorti des nuages, les pirates ont vu que la piste était cernée par des véhicules blindés, en plus des ambulances et des autres équipements d'urgence. Ça s'est mis à gueuler fort avec la tour de contrôle. J'ai touché la piste. Je me suis fait encercler. Les Lettons ont pris en charge les négociations.

Les pirates se sont rendus.

Beaucoup de mes passagers ont préféré être rapatriés en train, ou par le traversier Riga-Kiel, plutôt que de remonter à mon bord pour qu'on retourne à Berlin, avant de faire un autre voyage vers Izmir.

*Hochelaga-Maisonneuve*

## Vie privée

### Ontario

Au bout de la partie la plus désolée de la rue Ontario, une fortification marque la frontière d'Hochelaga-Maisonneuve. La fortification est tenue par le Canadien Pacifique. La rue Ontario passe sous les voies ferrées. Au-dessus, un corps de garde permet de surveiller qui entre. Sous le viaduc, il fait une humidité de vieux château. Une eau sale mouille les pierres en toutes saisons. Pour faire fuir les bourgeois, Hochelaga-Maisonneuve a aussi des usines qui puent: manger à chien, ammoniac, cigarettes, bière, mélasse et levure mélangent leurs effluves. Les maisons pittoresques de ce quartier ont été construites pour des ouvriers dans le temps des petits chars. Les motards les font exploser quand ils sont en guerre. Hochelaga-Maisonneuve ressemble à Sorel ou à Trois-Rivières, mais un Sorel ou un Trois-Rivières qui serait devenu une grande ville. Parvenu à l'intérieur des fortifications, on peut observer sur la rue Ontario des exemples du look Hochelaga-Maisonneuve. Un look sportif, avec des marques d'équipement bien en vue. Ce look réussit bien aux sportifs, nombreux dans la foule, mais il va nettement moins bien aux dames, surtout que, par ici, elles font souvent de l'embonpoint. C'est l'inverse de ce qu'on observe à Outremont, où les femmes visitent souvent leur esthéticienne alors que les hommes font du ventre. Le secret du style Plateau, si parfait chez les deux sexes, tient à ce que le Plateau est situé à mi-chemin entre Outremont et Hochelaga-Maisonneuve.

## NTOSZIT FEŽ IRNO

Le mot *donit* couvrait toutes les notions liées à l'idée de domicile (résidence, maison, foyer, logis, abri, condo, etc.). L'endroit où on mange et où on dort. *Donit* est un emprunt direct au latin *domus*. J'ai assez vite réussi à l'acclimater au peplerğ, et même à l'utiliser. Quand je rentre chez moi, il m'arrive encore de dire : « *Ti donan fež* » (c'est ma maison), ou encore « *Donit fež irno* » (ma maison est ici), ce qui équivaut à « *home sweet home* ». Je me suis cependant avisé que l'idée centrale qui colle au mot *donit* est celle de maison, aux associations assez vieux jeu. J'ai donc décidé de tenter de faire de *donit* un mot désuet et légèrement péjoratif, avec des connotations ringardes de propriété privée. À sa place, j'ai lancé le mot *ntoszit*. *Ntoszit* (dont la sonorité est au demeurant bien plus peplerke que *donit*) provient indirectement du mot anglais *floor*, dans le sens d'*étage*, qui comporte des évocations de modernité et d'indifférence au sol. Je suis encore en processus d'adoption du mot *ntoszit*. Quand je rentre, je m'efforce de dire naturellement « *Ti ntoszan fež* » plutôt que « *Ti donan fež* », en espérant que la bouture prenne.

## Deux oiseaux

Je sais tout sur les oiseaux. Ils naissent dans des œufs sous forme de larves de moineaux. Au cours de cette première phase de leur vie, les oiseaux chantent pour annoncer le jour. L'hiver, les moineaux sont matures. Ils tombent en hibernation dans des cocons. Ils en sortent au printemps sous forme de pigeons. La phase pigeon représente l'essentiel de la vie des oiseaux. Ils pondent par milliers des œufs gluants d'où écloront les moineaux. Les pigeons mangent des vidanges. Les plus voraces d'entre eux mutent et deviennent des goélands pour la dernière année de leur vie. Le goéland est le stade ultime de l'existence de l'oiseau. Il se délecte des déchets les plus contaminés. Les goélands mangent parfois les œufs qu'ils avaient pondu quand ils étaient encore des pigeons. Les oiseaux qui vivent dans les bois ne se conforment pas au cycle normal des métamorphoses. L'épouvantable environnement dans lequel ils vivent leur fait prendre une variété de formes aberrantes au cours de chacune des phases de leur vie.

Un jour d'été où j'étais en stand by dans l'est, j'ai vu sur la terrasse de Radio-Canada un carouge à épaulettes, un oiseau à plumage et à chant non standard. Avec effroi, je me suis senti tomber dans du vide. J'avais presque l'impression de sentir la puanteur des forêts des Laurentides. Quel soulagement j'ai eu en levant la tête de voir les silhouettes du pont Sans-Quartier et de la tour de Radio-Canada! Ces bornes du réel m'ont prouvé que j'étais encore dans un endroit qui existe pleinement, avec même des strates d'existence accumulées à cause du souvenir de l'ancien Faubourg à mélasse sous le béton de Radio-Canada.

En cherchant le sommeil la nuit suivante, j'ai ouvert en pensée une boîte de souvenirs. L'un d'entre eux datait de 1986. Il avait l'air désamorcé, alors j'ai joué avec lui. Il m'a explosé au visage. J'ai été submergé par la colère et la tristesse. J'ai fait de l'insomnie. Le lendemain matin, il y avait un oisillon mort sur la galerie. Un moineau larvaire. Je l'ai balayé vers la rue en retenant des larmes. Un chat n'aurait pas fait tant de sentiment.

## IGA

Un homme vole un citron déjà payé dans le panier d'un autre client. Cet autre client l'aperçoit, il fonce vers le voleur et le fixe. Le voleur a peur. Il soupire. Le client dit : « J'allais te tuer, mais tu me montres le chemin de la rédemption. Garde ce citron, je change de vie. » Ce discours cause à l'autre un dégoût si profond qu'il décide de ne plus jamais commettre de vol.

## Repas

Manger en courant des biscuits et des bouts de sandwich (des *elevator foods*), ça nourrit mal son homme au milieu d'une journée de travail. Heureusement, au soir venu, on peut trouver des buffets végétaliens, comme celui de la rue Pie IX, avec sa petite musique planante et des images de vaches sacrées sur les murs. Ce restaurant est le lieu de rencontre des adeptes de Sa Divine Grâce Swami Prabhupada, venu en Occident propager le culte du Bhâgavat dharma. Dans le buffet, il y a des tofus dans des sauces de différentes couleurs, toutes plus mauvaises les unes que les autres. Plus problématique : il n'y a pas de café dans ce restaurant, parce que cette drogue nuit à la méditation.

Il vaut mieux manger une soupe tonkinoise au Phò Viêt. À côté de la caisse de ce vrai Viêt, un café s'évapore. Je dis à la madame que c'est de valeur qu'elle n'ait pas le temps de boire son café. Elle me dit non, c'est une offrande qu'elle fait chaque matin et qui s'évapore lentement pendant la journée. À côté du café, il y a aussi un Bouddha en plastique souriant et très gras. Je trépigne de curiosité. La madame le sent. Elle m'explique qu'elle-même est catholique, mais que sa belle-sœur est bouddhiste. Quand elle lui a acheté son restaurant, elle a continué à faire son offrande comme elle pour lui faire plaisir. C'est comme un porte-bonheur. La belle-sœur dédiait aussi une cigarette au Bouddha, mais la madame du Phò Viêt s'étouffait en faisant cette partie-là du rite, alors elle a arrêté. Comme le Bouddha continue quand même de sourire, elle s'est dit que le café suffisait.

En mangeant ma soupe, je lis des mauvaises nouvelles concernant les ourses du Groenland. Ces ourses souffrent de pseudo-hermaphrodisme. Ce qui signifie qu'il leur pousse des pénis embryonnaires, à cause de polluants qui affectent leur système hormonal. Bien sûr, le Groenland est voisin de la Russie, où rouillent des sous-marins nucléaires. Mais le pseudo-hermaphrodisme ne coulerait pas des sous-marins. Ce serait plutôt un problème de chaîne alimentaire. Chez les ours, qui sont au sommet de la chaîne, les polluants sont très concentrés. Ce phénomène est censé impliquer de graves menaces pour l'être humain. D'ailleurs, l'article rapporte que le taux moyen de spermatozoïdes dans le sperme humain aurait chuté dramatiquement depuis un siècle.

Heureusement, cet article se trompe car nous sommes extérieurs à la chaîne alimentaire. L'alimentation humaine dépend surtout de cinq végétaux manufacturés : le riz, le blé, le maïs, le chou et les patates. J'ai vu une image de ce blé sauvage qui a permis la sédentarisation du Proche-Orient. De l'herbe. Rien à voir avec la plante organo-chlorée dont on fait nos nouilles. Même quand on mange de la viande, elle provient d'espèces manufacturées. La fabrication des aliments nous a permis de sortir des cavernes. Toute avancée sur cette voie est un progrès. La nourriture doit provenir d'une usine pour être propre à la consommation humaine. Mieux, la saveur des aliments doit provenir d'une usine différente de celles d'où proviennent la couleur et la texture de ces aliments. Ils doivent également subir un passage rituel dans le four micro-ondes pour devenir tout à fait kashers. Un grand nombre de commensaux et de parasites se nourrissent d'aliments fabriqués par l'homme, et survivent mieux que les espèces qui se contentent du circuit alimentaire naturel et auxquelles il pousse des pénis embryonnaires.

## La vie que je n'ai pas

Les murs de mon appartement sont en carton. J'entends tout ce qui se passe chez les voisins. D'ailleurs, je les connais bien. Le dimanche, la femme qui habite au 2024 reçoit. Elle prépare du café au lait, des gâteaux aux fruits et des muffins. Elle achète de la charcuterie et du pain de froment à l'épicerie fine sur la rue Maguire, à Sillery. Elle trouve toujours des friandises pour surprendre les enfants. Ses invités arrivent à la fin de l'avant-midi. Ses sœurs y sont toujours, ainsi que quelques vieilles amies. Leur père qui vit seul vient aussi parfois. Les invités de la voisine s'habillent bien pour son brunch. Quelques-uns reviennent de la messe. Ils ont hâte de se retrouver chaque semaine. Ils s'amusent des histoires qu'ils se racontent. Ils rient des mots des enfants. Ils sont heureux, même quand un enfant fait une bêtise ou que le vieux père s'y prend mal avec ses petits-enfants.

J'ai été boire un pichet de bière à la taverne Davidson. J'étais avec des frères d'armes. Une vieille femme en mauvais état est venue nous parler. Elle s'est lamentée du long trajet qu'elle devait faire à pied jusqu'à la rue Adam. J'ai très stupidement dit : « Voyons, c'est pas si loin la rue Adam. » Greg, lui, il a compris la femme et il a fermé sa trappe.

## Coucher de soleil

L'est du quartier est l'ancienne ville de Maisonneuve, une ville modèle de style beaux-arts, conçue par un groupe d'hommes d'affaires. Ils ont construit des bains publics, un marché, un hôtel de ville et des boulevards. Des réalisations toutes plus splendides les unes que les autres. Puis ils ont fait faillite et réclamé leur annexion à Montréal. Le même scénario s'est reproduit en 1976 quand le maire Drapeau a fait construire le Stade olympique. Cet éblouissant chef-d'œuvre a endetté la Province de Québec jusqu'à la fin des temps et garantit pour toujours son maintien dans le Canada. À Maisonneuve, la rue Sainte-Catherine redevient une rue principale pour la dernière fois, reprenant ce titre à la rue Ontario sur un ultime et glorieux kilomètre.

À la fin de sa course, la rue Sainte-Catherine bifurque vers le sud. Les ombres sont longues. Sur la Rive-Sud il fait déjà gris et les tours du complexe Charles-Lemoyne commencent à s'allumer. Le dernier édifice sur la Catherine est une résidence pour personnes âgées. 5200, Sainte-Catherine Est, près de Viau. Devant cet édifice, la Catherine se fond dans la rue Notre-Dame. Elle naît à nouveau à Pointe-aux-Trembles.

Dans la résidence vit Margaret. Elle se repose sur la chaise berçante en regardant passer les camions sur la rue Notre-Dame. Elle se souvient d'un jour de mai, il y a seize ans. Elle habitait encore chez elle sur la rue Théodore. Elle avait été en ville acheter des babioles. L'air sentait bon. Elle avait marché sur Crescent, sur Peel, elle avait bu un chocolat chaud chez Kresge's. Pour rentrer, elle avait pris l'autobus 15, qui avait roulé lentement jusqu'à Papineau. La Catherine était noire de monde. Dans la fontaine sale de la Place-des-Arts des jeunes pataugeaient. Des enfants, des punks, des courriers qui avaient eu chaud toute la journée.

Margaret s'endort. Plus loin vers l'ouest, un dernier rayon de soleil caresse Montréal. La nuit commence.

Demain matin peut-être, mon réveil va sonner à six heures, et je vais partir faire une autre journée de courrier.

# Babylone

*Image Spot prise en l'an 166 AUC. Gracieuseté de l'Institut national de l'air et de l'espace.*

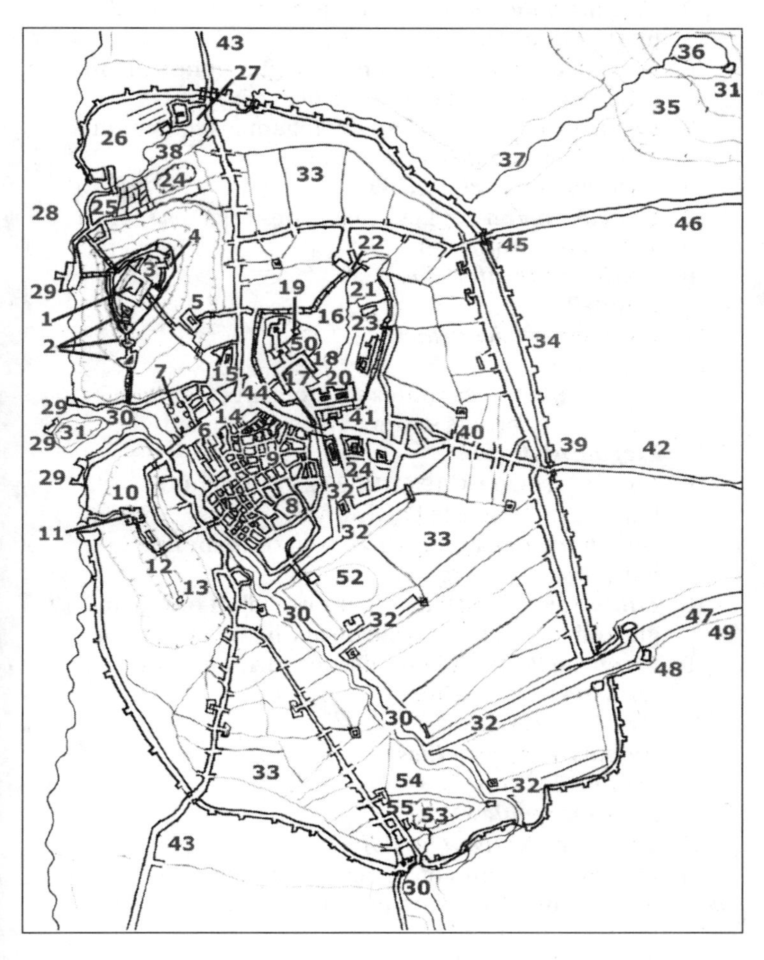


1 ***La grande ziggourat***. Elle s'élève à 90 m du sol de la colline et surplombe le pays.

2 ***Les jardins suspendus***. Ces jardins sont emménagés en terrasses construites sur les flancs de la colline. Un système d'irrigation permet des récoltes exceptionnelles.

3 ***La colline de la ziggourat.*** Elle est habitée par la caste sacerdotale. Le sommet de la colline est entouré d'une enceinte reliée aux autres quartiers par quatre escaliers monumentaux.
4 ***Les archives sacerdotales.***
5 ***Ziggourat de Marduk.*** Elle a longtemps été le plus haut monument de Babylone.
6 ***Grand bazar.*** Plus grand marché du monde où on échange toutes les richesses de l'univers.
7 ***Caravansérail.*** Hôtellerie où logent les marchands qui arrivent du désert ou du Fleuve.
8 ***Entrepôt à marchandises.***
9 ***Quartier du bazar.*** Les ateliers des artisans se trouvent dans ce quartier.
10 ***Colline de la citadelle.***
11 ***Citadelle.***
12 ***Campement des armées.***
13 ***Tour de guet.***
14 ***Grande place.*** Les routes s'y croisent et les habitants des quartiers s'y rencontrent.
15 ***Ziggourat de Baal.***
16 ***Enceinte royale.*** Cité fortifiée à l'intérieur de laquelle se trouve le Palais royal.
17 ***Bassin royal.*** La Cour y paraît parfois sur une barque.
18 ***Palais royal.*** Le Palais est entouré d'un mur d'argile qui le sépare du reste de la Cité royale.
19 ***Sérail.*** Le Palais et le sérail sont surmontés de terrasses et de jardins.
20 ***Palais du clan du roi.***
21 ***Bassins aux crocodiles.***
22 ***Temple de l'eau.***
23 ***Archives royales.***
24 ***Quartier où vivent les nobles.***
25 ***Quartier de tentes*** où vivent les captifs et les engagés qui travaillent dans les chantiers de Babylone.
26 ***Nécropole.***
27 ***Quartier où vivent les ouvriers de la nécropole.*** Ces ouvriers érigent les mausolées.
28 ***Euphrate.***
29 ***Quais sur l'Euphrate.***
30 ***Rivière.***

31 ***Île de l'embouchure.*** Cette île est habitée par les pêcheurs de l'Euphrate.

32 ***Canaux.***

33 ***Jardins.*** Les fermes de Babylone lui permettent de résister aux sièges.

34 ***Enceinte de Babylone.***

35 ***Colline de l'observatoire astronomique.***

36 ***Lac de l'observatoire astronomique.***

37 ***Ruisseau.***

38 ***Étang.***

39 ***Porte d'Ishtar.*** Cette porte est décorée de taureaux ailés.

40 ***Grande avenue.*** Cette avenue est pavée de briques vernissées.

41 ***Ziggourat d'Ishtar.***

42 ***Route du Tigre.***

43 ***Route de l'Euphrate.***

44 ***Palais extérieur.*** Résidence du vizir.

45 ***Porte d'Assyrie.***

46 ***Route d'Assyrie.***

47 ***Canal du Tigre.***

48 ***Barrière du canal.*** Cette barrière est surmontée des Tours du désert.

49 ***Sentier de halage.***

50 ***Trésor.***

51 ***Observatoire astronomique.***

52 ***Terrain des courses de chevaux.***

53 ***Dépôt de glaise.***

54 ***Carrière.*** Les pierres qui servent à la construction des monuments sont extraites ici.

55 ***Fabrique de briques.***

Québec, Canada
2003